GWLADFA PATAGONIA
1865-2000

LA COLONIA GALESA DE PATAGONIA
1865-2000

GWLADFA PATAGONIA
1865-2000

R. Bryn Williams

cyfieithiad Saesneg ac atodiad: Nan Griffiths

cyfieithiad Sbaeneg: Lowri W. Williams

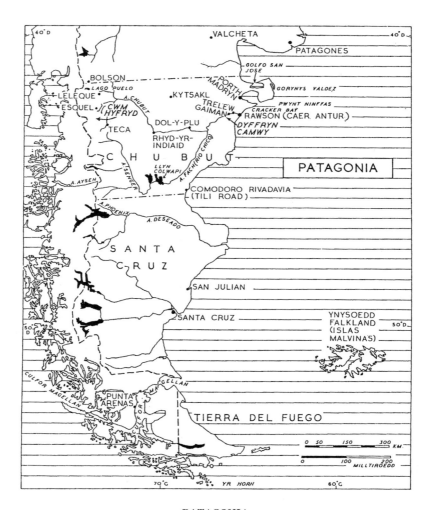

PATAGONIA

LA COLONIA GALESA DE PATAGONIA 1865-2000

THE WELSH COLONY IN PATAGONIA 1865-2000

Argraffiad cyntaf: Tachwedd 2000

ⓗ *awdur/Gwasg Carreg Gwalch*

Rhif Llyfr Safonol Rhyngwladol:
0-86381-653-3

Cyhoeddwyd yn wreiddiol gan Wasg Prifysgol Cymru, 1965
a diolch iddynt am bob cydweithrediad wrth baratoi'r argraffiad newydd hwn

Llun clawr: Capel yn y Wladfa; rhodd i R. Bryn Williams gan Kyffin Williams.

Argraffwyd a chyhoeddwyd gan Wasg Carreg Gwalch,
12 Iard yr Orsaf, Llanrwst, Dyffryn Conwy, LL26 0EH.
☎ 01492 642031
🖹 01492 641502
✆ llyfrau@carreg-gwalch.co.uk
Lle ar y we: www.carreg-gwalch.co.uk

Diolchiadau
Hoffwn gydnabod cymorth parod Cathrin Williams, Ceris Gruffudd,
Eluned Rowlands a Robin Jones, Rwy'n ddiolchgar hefyd am y lluniau a fenthycwyd
gan Gwilym Roberts, Ann Trefor Jones, fy mrawd Glyn Williams a'i ferch Nia a'm
merch innau, Angharad. Diolch i Wasg Carreg Gwalch am gydweithrediad mor
hapus ac am fentro cyhoeddi cyfrol dairieithog.

'A hon yw ein gwlad. Rhown fawl i'n tadau
O ddiwyd antur. A'r Breuddwyd yntau:
Y tir pell, hwy a'i gwelsant o'r pyllau,
A chyrchu'r haul o lwch oer chwarelau:
Troi'r tywod yn ardd flodau:– Arloeswyr!
Hwynt-hwy fydd arwyr haneswyr oesau.'

R. Bryn Williams (awdl 'Patagonia')

Gwladfa Patagonia 1865-1965

(Cyhoeddwyd yn wreiddiol yn 1965 i nodi canmlwyddiant y Glanio)

Y Fintai Gyntaf

Ganrif union yn ôl, roedd y llong hwyliau fechan *Mimosa* yn rhwym wrth y lanfa yn Lerpwl. Bu am ddeuddeng mlynedd cyn hynny yn cario te o China, ond addaswyd hi i gario teithwyr drwy hoelio planciau hyd waliau'r howld i fod yn silffoedd i wragedd a phlant gysgu arnynt, gydag ysgol simsan yn dringo i'r dec cyfyng uwchben. Dim ond 447 tunnell oedd pwysau'r llong, a buasai ugain o'i maint yn mynd i mewn i long gargo gyffredin heddiw, a dau gant o'i maint yn mynd i mewn i rai o'r llongau sy'n cario teithwyr yn ein dyddiau ni. Nid oedd ei hyd ond 48 metr, cymaint â hyd dau fŷs. Nid oedd ei lled ond hanner hyd bws.

Ymgasglodd tyrfa dda o Gymry ar y lanfa, ac yn eu plith 162 o wŷr, gwragedd, a phlant a oedd am fentro ar draws saith mil o filltiroedd o fôr i sefydlu Cymru fach newydd ym mhen draw'r byd. Daeth y fintai hon ynghyd o wahanol rannau o Gymru, deugain ohonynt o Aberpennar. Merched oedd tua hanner cant o'r fintai, a rhyw ddau ddwsin yn blant. Dringodd y rhain i fwrdd y llong fach, gan adael y gweddill ar y lanfa i chwifio cadachau a dymuno'n dda iddynt. Ymhlith y rhai oedd ar y lanfa roedd un gŵr arbennig, sef y Parchedig Michael D. Jones, Prifathro Coleg yr Annibynwyr yn Y Bala, gŵr canol oed a'i gorff cyhyrog mewn gwisg o frethyn cartref. Safai ei wraig wrth ei ochr ; gwariwyd eisoes ddwy fil a hanner o bunnau o'i ffortiwn hi i logi ac addasu'r llong. Gwariodd ddwbl hynny ar yr anturiaeth cyn diwedd ei hoes cyfoeth mawr iawn yn y cyfnod hwnnw.

Codwyd baner y Ddraig Goch i ben yr hwylbren, a chanodd y dyrfa y pennill a ganlyn:

> Ni gawsom wlad sydd well
> Yn y Deheudir pell,
>   Patagonia yw:
> Cawn yno fyw mewn hedd,
> Heb ofni brad na chledd,
> A Chymro ar y sedd:
>   Boed mawl i Dduw.

Llithrodd y llong i ganol yr afon, a bu yno wrth angor am dridiau cyn hwylio

La colonia galesa de Patagonia
1865-1965

(Fue publicado por primera vez para celebrar el centenario del Desembarco)

Los primeros emigrantes

Hace un siglo, el pequeño buque de vela *Mimosa* estaba amarrado al muelle del *Pier Head* en Liverpool. Durante los doce años previos había transportado té desde China, pero fue armado para llevar pasajeros, clavando tablas de madera a los costados de la bodega, que podían servir como lechos para las mujeres y los niños. Encima de la bodega estaba la pequeña cubierta al que conducía una escalera de mano insegura. El buque sólo pesaba 447 toneladas, y hoy en día veinte buques de su tamaño cabrían en un barco de carga moderno, y dos cientos barcos de su tamaño cabrían en un transatlántico moderno. Su longitud era de unos 48 metres, es decir el largo de dos canchas de criquet. Su anchura correspondía a la de la mitad de una cancha de críquet.

Un grupo de galeses se había reunido en el muelle, y entre ellos había 162 hombres, mujeres y niños que iban a aventurarse a través de setecientas millas de mar para establecer un nuevo país de Gales en el otro lado del mundo. Los miembros del grupo eran de varias zonas de Gales, y cuarenta de ellos eran de Aberpennar (Mountain Ash). Había unas cincuenta mujeres y unos veinticuatro niños en el grupo. Se embarcaron en el buque y dejaron el resto en el muelle donde agitaban los pañuelos y les deseaban mucha suerte. Entre ellos en el muelle estaba un hombre importante, el pastor Michael D. Jones, el director del colegio congregacionalista de Bala. Era un hombre fornido de mediana edad que llevaba un traje de tweed hecho en casa. A su lado estaba su mujer que ya había gastado dos mil y medio libras de su fortuna en alquilar y armar el buque. Antes de su muerte iba a gastar más del doble de esa suma en la aventura, lo que era una suma enorme en esa época.

Izaron la bandera del dragón rojo al tope, y todos cantaron la estrofa siguiente:

Ni gawsom wlad sydd well
Yn y Deheudir pell,
   Patagonia yw:
Cawn yno fyw mewn hedd,
Heb ofni brad na chledd,
A Chymro ar y sedd:
   Boed mawl i Dduw.

allan i'r môr ar yr wythfed ar hugain o Fai, 1865 ar un o'r mordeithiau rhyfeddaf a fu erioed.

Nid peth anghyffredin oedd i long fel hon gludo mintai o Gymry i fro dramor. Am ganrif a mwy cyn hynny bu Cymry yn ymfudo i bob rhan o'r byd. Âi llawer ohonynt o'r ardaloedd gwledig i dde Cymru lle'r oedd pyllau glo a diwydiannau yn cynnig gwell bywoliaeth iddynt. Aeth llu i drefi mawr Lloegr, lleoedd fel Lerpwl, Manceinion, a Llundain. Honnir bod can mil o Gymry yn byw yn Llundain ganrif a hanner yn ôl. Hwyliodd miloedd o Gymry dros y môr i wledydd newydd fel Awstralia, Seland Newydd, a'r Affrig, ond âi'r mwyafrif ohonynt i Unol Daleithiau yr America.

Bu llawer achos dros iddynt adael eu gwlad. Un rheswm oedd gorthrwm Seisnig, ac estronol oedd y rhan fwyaf o'r landlordiaid a gadawent i'w stiwardiaid o Saeson ddelio â'u tenantiaid Cymraeg. Os âi rhai o'r rhain i addoli yn eu capeli ymneilltuol yn hytrach nag i'r eglwys sefydledig, cosbid hwy drwy godi rhent eu tyddynnod gwael. Pe digwyddai i ffermwr wella ei fferm trwy chwys ac aberth, cosbid yntau am hynny trwy godi ei rent. Pan ddeuai lecsiwn heibio, disgwylid i bob tenant bleidleisio dros eu landlord, ac os meiddiai ddilyn ei gydwybod a gwrthod hynny, cosbid yntau trwy godi ei rent neu ei droi allan o'r tyddyn a fu'n gartref i'w deulu am genedlaethau.

Mae'r hyn a ddigwyddai yn yr ysgolion yr adeg honno yn ymddangos i ni heddiw yn hollol ynfyd a barbaraidd. Hen filwyr oedd yr athrawon fel rheol, yn credu bod disgyblaeth yn gyfystyr ag addysg, ac yn mwynhau cystwyo'r plant yn greulon a didrugaredd. Cyflwynid y mymryn addysg drwy gyfrwng y Saesneg, er na ddeallai'r plant air ohoni gan eu bod yn Gymry uniaith. Ni allent ond ailadrodd y geiriau Saesneg heb eu deall, a phe digwyddent siarad Cymraeg â'i gilydd, crogid darn o bren gyda'r geiriau *Welsh Not* am eu gwddf fel arwydd o warth a dirmyg.

Ond y rheswm pennaf dros ymfudo oedd tlodi. Cafwyd hafau gwlyb ac aflwydd ar y cnydau, codid trethi trymion. Aeth prisiau'n uchel, yn enwedig gwenith; codwyd rhent y tyddynnod a chaewyd y tiroedd comin. Byddai'n rhaid i'r tad weithio'n galed o wawr hyd yr hwyr am ryw swllt y dydd er mwyn cartrefu ei deulu mawr mewn bwthyn afiach lle na phrofent gig ond ar ambell Sul, a hwnnw'n ddim ond llygedyn mewn cawl. Naturiol felly oedd i filoedd o bobl Cymru adael eu cartrefi a mentro ar fordeithiau hir i wledydd dieithr, gan obeithio y caent yno ryddid a gwell amodau byw.

Nid ffoi rhag y gormes a'r tlodi a fynnent yn unig, eithr hefyd allu creu cenedl newydd dros y môr. Eu henw ar y wlad ddelfrydol hon oedd Y Wladfa, sef cywasgiad o'r gair 'gwladychfa'. Anfonwyd Cymry yn finteioedd o dro i dro gyda'r bwriad o sefydlu'r Wladfa hon yn yr Unol Daleithiau. Tyfodd cymdeithas Gymraeg gref mewn llawer man yno, lle'r adeiladwyd capeli ac y cynhelid eisteddfodau, lle cyhoeddid llyfrau a phapurau newydd,

(Hemos encontrado una tierra mejor hacia el Sur. Es Patagonia. Ahí vivirémos en paz sin preocuparnos por la traición y la espada, y un galés estará al trono. ¡Gracias a Dios!)

El buque se deslizó al centro de la ría donde permaneció durante tres días antes de zarpar hacia el mar el día 28 de mayo de 1865, para emprender uno de los viajes más extraños que nunca fueron emprendidos.

No era una cosa rara que un buque como el *Mimosa* llevara un grupo de galeses a un país extranjero. Los galeses se habían mudado a todos los rincones del mundo durante más de un siglo. Muchas personas de las zonas rurales se mudaban al sur de Gales donde las minas de carbón y las industrias les ofrecían un mejor nivel de vida. Un gran número de personas se fue a las ciudades grandes de Inglaterra como Liverpool, Manchester y Londres. Se dice que hace siglo y medio, cien mil galeses vivían en Londres. Partieron miles de galeses a nuevos países como Australia, Nueva Zelanda y África, pero la mayoría se mudaba a los Estados Unidos de América.

Tenían muchas razones por marcharse de su país. Una razón era la opresión. La mayoría de los proprietarios tenían un estilo de vida ingles y eran ajenos al pueblo. Dejaban a sus administradores ingleses ocuparse de los arrendatarios galeses. Si los arrendatarios iban a misa en sus templos inconformistas en vez de ir a la iglesia anglicana (muchos galeses no se conformaban con la iglesia protestante o anglicana de Inglaterra y establecieron templos protestantes 'inconformistas'), se les castigaban en vez de ir a la iglesia anglicana, se les castigaban subiendo el arriendo de sus pequeñas granjas. Si el granjero mejoraba su granja trabajando muy duro se le castigaba a él también subiendo el arriendo. Cuando era la época de las elecciones generales el arrendatario estaba obligado a votar por su proprietario, y si se atrevía a rechazarlo por principio, se le castigaba subiendo el arriendo o echandole de la pequeña granja donde su familia había vivido durante siglos. Hoy en día, lo que pasaba en los colegios en esa época nos parece completamente increíble y barbárico. Normalmente los profesores eran antiguos soldados que pensaban que la disciplina era sinómino de la educación. Les gustaba castigar a los niños en una manera cruel y despiadada. El poco que se enseñaba era por medio del inglés, aunque los niños no comprendían el idioma porque sólo sabían galés. Sólo podían repetir las palabras inglesas sin comprenderlas, y si hablaban en galés entre ellos, les castigaban obligándoles a colgar un pedazo de madera del cuello que llevaba las palabras *Welsh Not* como signo de deshonra y desprecio.

Pero la razón más importante por la que se mudaban era la pobreza. Los granjeros habían sufrido veranos lluviosos y cosechas malas; los impuestos eran onerosos y los precios eran altos, sobre todo el precio de trigo, y subieron los arriendos y las tierras comunes fueron cerradas. Los padres trabajaban largas horas desde el amanecer hasta la tarde y sólo cobraban un chelín cada día. Sus

y cwbl yn yr iaith Gymraeg. Yn anffodus, tueddai plant y sefydlwyr droi yn fwy o Americanwyr nag o Gymry, gan anghofio iaith a thraddodiadau eu tadau. Cododd awydd ymysg y Cymry yn America i fynd i ryw fan o'r byd oedd yn wag o bobl a heb ei hawlio gan unrhyw lywodraeth. Y Cymry alltud hyn yn yr Unol Daleithiau a feddyliodd gyntaf am fynd i Batagonia. Credent pe gellid argyhoeddi miloedd a adawai Gymru bob blwyddyn i'w dilyn i Batagonia y byddai yno genedl gref gyda'i llywodraeth Gymraeg ei hun. Yn anffodus, daeth y Rhyfel Cartref ag achosion eraill i rwystro'u cynlluniau. Yna mabwysiadwyd y cynllun gan ryw ddwsin o Gymry ifainc yn Lerpwl. Enw un o'r rhain oedd Lewis Jones, bachgen a anwyd ac a fagwyd yn nhref Caernarfon ac a brentisiwyd fel argraffydd yno. Un arall oedd Edwyn Cynrig Roberts, gŵr ifanc dwy ar hugain oed a anwyd yng Nghilcain, sir y Fflint, ond a fagwyd yn Oshkosh, Wisconsin. Wrth weld nad oedd mintai am gychwyn o'r Unol Daleithiau i Batagonia, daeth drosodd i Lerpwl yn llawn brwdfrydedd gwladfaol. Sefydlwyd Cymdeithas Wladfaol yn Lerpwl yn 1861, a chyfrannodd yr aelodau chwe cheiniog y mis iddi. Anfonwyd Edwyn a phedwar gŵr arall ar hyd a lled Cymru i ddarlithio am Batagonia, i argyhoeddi pobl i fentro tuag yno, ac i gasglu arian at y mudiad, ond ychydig iawn o gefnogaeth a gawsant.

Mae gwlad Ariannin yn y rhan ddeheuol o Dde America, a Phatagonia yw'r darn cyfandir sydd ymhellach i'r de, ac yn mesur tri chan mil o filltiroedd sgwâr – pum gwaith cymaint ag arwynebedd Prydain Fawr. O'r môr yn y dwyrain, cyfyd paith anial o ris i ris hyd at fynyddoedd yr Andes, sydd ryw bedwar can milltir i'r gorllewin. Nid oedd neb yn byw yno ond Indiaid crwydrol. Ceisiodd y Sbaenwyr godi sefydliadau yno droeon, ond aeth pob cais yn fethiant, yn bennaf oherwydd i'r Indiaid ymosod arnynt, gan ladd y gwŷr a chaethgludo'r gwragedd a'r plant.

Gan nad oedd Llywodraeth i'w nawddogi yng Nghymru, gorfu i'r pwyllgor yn Lerpwl ddod i gytundeb â Llywodraeth Ariannin ynglŷn â'r cynllun. Gan nad oedd ganddynt arian bu'n rhaid iddynt hefyd dderbyn cymorth gan y Llywodraeth honno. Eu gobaith wedyn oedd gallu danfon digon o Gymry i Batagonia er mwyn iddi hawlio bod yn dalaith yng ngweriniaeth Ariannin, gyda mesur helaeth o ymreolaeth.

Yn niwedd 1862 anfonwyd Lewis Jones a Love Jones-Parry, sgweier Madryn yn Llŷn i weld y wlad. Wedi iddynt gyrraedd pentref Patagones, y sefydliad pellaf i'r de, ni allent deithio ymlaen dros y pedwar can milltir o baith yr adeg honno o'r flwyddyn, ac felly llogwyd y *Candelaria*, sgwner fechan o ryw 25 tunnell, a chyda chriw o garcharorion penyd, hwyliwyd i lawr ar hyd yr arfordir peryglus. Gyrrodd storm hwy i mewn i fae mawr a alwyd ganddynt yn Borth Madryn. Wedi i'r storm dawelu, hwyliwyd i lawr rhyw ddeugain milltir ymhellach hyd yr arfordir cyn mynd i mewn i aber beryglus

familias grandes vivían en pequeñas granjas y no probaban la carne menos los domingos cuando sólo se echaban unos trozos en la sopa. Era cosa natural, entonces, que los galeses dejaran sus casas para arriesgarse a viajar a países extranjeros en la esperanza de encontrar la libertad y un mejor nivel de vida. No sólo querían huir de la pobreza y de la opresión, sino también querían crear una nueva nación allende los mares. Llamaron a esta utopia 'Y Wladfa', que es una contracción de la palabra 'gwladychfa' que significa 'colonia' en galés. De vez en cuando se enviaban grupos de galeses con la intención de establecer esta colonia en los Estados Unidos. Florecieron sociedades galesas fuertes en muchas zonas del país donde se construían templos y se celebraban los *eisteddfod* (es un festival de la cultura galesa en el que se celebran concursos de música y literatura). También se publicaron libros y periódicos, y todos en el idioma galés. Desafortunadamente, los hijos de los colonizadores tendían a convertirse en gente más americana que galesa y olvidaban la lengua y las tradiciones de sus padres. Por eso los galeses del norte de América empezaron a desear mudarse a una región del mundo que no estaba reclamada por ningún gobierno. Los exilados galeses en los Estados Unidos eran los primeros en pensar en mudarse a Patagonia. Creían que si fuera posible convencer a los miles que se marchaban de Gales cada año a seguirles a Patagonia, podrían establecer una nación fuerte con su propio gobierno galés. Por desgracia, la guerra civil y otras razones frustraron las intenciones. Luego, una docena de hombres jóvenes galeses en Liverpool adoptaron la idea. Uno de los hombres se llamaba Lewis Jones, que era un joven que nació y se crió en Caernarfon donde estuvo de aprendiz como impresor. Otro hombre era Edwyn Cynrig Roberts que era un joven de veintidós años que nació en Cilcen en Flintshire pero que se crió en Oshkosh en Wisconsin. Cuando vio que un grupo no iba a partir de los Estados Unidos, se fue a Liverpool lleno del espíritu pionero. Se fundó una Asociación Colonial en Liverpool en 1861, y los miembros contribuían seis peniques cada mes. Mandaron a Edwyn y otros cuatro hombres de la Asociación por todo Gales para hablar de Patagonia y convencer a la gente a que se aventurara a salir hacia allí, y para recaudar fondos para la Asociación. Sin embargo no tuvieron mucho éxito y la reacción era floja.

Argentina está en el Cono Sur de América del Sur, y Patagonia es la zona más sur del continente. Mide tres cientos mil millas cuadradas, es decir, tiene cinco veces la superficie de Gran Bretaña. Desde el mar en el este hacia las montañas de los Andes, que están a unos cuatro cientos millas al este, la llanura sube poco a poco. La tierra era deshabitada aparte de los indios nómados. Los españoles intentaron establecerse en la región muchas veces, pero los intentos fueron frustrados, principalmente porque los indios les atacaban y mataron a muchos hombres antes de prender a las mujeres y a los niños.

Como el país de Gales no tenía su propio gobierno que pudiera apoyarles, el comité en Liverpool tuvo que firmar un contrato con el gobierno de Argentina

a rhoi troed ar y dyffryn a alwyd ganddynt yn Camwy. Yn dilyn llawer o helbulon, aethant yn ôl i Buenos Aires, ac arwyddo cytundeb â Llywodraeth Ariannin cyn hwylio am Lerpwl. Er nad oeddynt fodlon ar y cytundeb gan mai tir yn unig a addawai i'r ymfudwyr, teithiodd Lewis Jones ac aelodau eraill o Bwyllgor Lerpwl o amgylch Cymru gan ddisgrifio Dyffryn Camwy fel paradwys. Dyma sut y perswadiwyd y fintai o 162 i hwylio tuag yno ar fwrdd y *Mimosa*. Buont ddau fis i'r diwrnod heb roi troed ar dir cyn cyrraedd pen y fordaith.

Soniais am y miloedd a fu'n ymfudo o Gymru cyn hynny, ond roedd y digwyddiad hwn yn wahanol. Gellir amau a fu ei debyg erioed. Dyma nifer o werinwyr cyffredin yn mentro i ddarn gwyryfol o'r byd, heb sicrwydd bywoliaeth, i ganol Indiaid anwaraidd, â dim ond eu breuddwydion i'w cymell a'u ffydd i'w cynnal. Ceisiai'r pwyllgor bychan yn Lerpwl sefydlu gwlad newydd ym mhellafoedd daear heb unrhyw brofiad ymarferol o arloesi, heb wybod fawr ddim am fasnachu, heb gefnogaeth yng Nghymru a heb adnoddau ariannol.

Llithrodd y llong i lawr afon Lerpwl gyda gwawr y Sul, ac yn ystod y dydd arweiniodd y capten wasanaeth crefyddol yn y bore yn null Eglwys Loegr; trefnwyd ysgol Sul yn y pnawn, ac oedfa bregethu yr hwyr. Cynhelid cyfarfod gweddi bob nos o'r wythnos yn ystod y fordaith. Erbyn bore Llun pan oeddynt ar gyfer Sir Fôn, daeth yn storm enbyd. Hawdd dychmygu profiad y teithwyr druain, wedi eu corlannu fel defaid yn howld yr hen long a hithau yn cael ei lluchio fel corcyn yng nghanol y rhyferthwy, a'r rhan fwyaf ohonynt yn dioddef o salwch y môr. Daeth bywydfad allan i'w hachub, ond gwrthododd Capten Peperrell ei gymorth. O'r diwedd, gostegodd y gwynt, ac aeth y llong ymlaen ar ei siwrnai. Undonog iawn oedd eu bywyd yn ystod deufis y fordaith. Weithiau âi llong arall heibio, a bu chwerthin wrth weld penbleth ei chapten yn ceisio dyfalu i ba wlad y perthynai'r Ddraig Goch. Wrth hwylio tua'r cyhydedd gyda'r gwres yn llethol, y dec yn brin ei gysgod, a'r llong heb symud o ddiffyg awel yn yr hwyliau, caniateid i'r bechgyn ifainc ymdrochi yn y môr, ond â rhaff am eu canol i'w tynnu i ddiogelwch mewn perygl. Bu helynt un diwrnod pan fynnai'r capten dorri gwallt y genethod, a gwrthwynebwyd ef gan y Cymry. Bu farw pedwar plentyn yn ystod y fordaith, a ganwyd dau faban.

Sgwrsiai'r teithwyr am y wlad dda oedd yn eu disgwyl. Onid oedd trefnwyr y mudiad wedi sôn am wlad agored o bobtu i afon fawr oedd yn llawn pysgod, ac am y dyffryn oedd dan borfa fras a choed ffrwythau, lle cyniweiriai miloedd o ddefaid gwyllt ac estrysod? Ond mawr oedd eu siom wrth gyrraedd. Hwylio i mewn i'r bae a glanio ar y traeth digroeso yng nghanol gaeaf, y dydd yn fyr, y glaw trwm fel chwip yn nwrn y gwynt, a'r oerni yn iasol. Er hyn, cymaint oedd eu dewrder a'u gobaith fel y mynnent gredu mai

sobre el proyecto. Además, porque no tenían dinero tampoco, tuvieron que pedir ayuda al mismo gobierno. Esperaban poder mandar un número bastante grande de galeses para reclamar un estado de provincia dentro de la República Argentina, con cierta medida de autogobierno.

Hacia finales de 1862 Lewis Jones y Love Jones-Parry, el señor de Madryn en Penllyn fueron mandados a ver el país. Después de llegar al pueblo de Patagones, el pueblo más meridional, no podían viajar más a través de los cuatrocientas millas de llanura en esa estación del año. Decidieron alquilar la goleta *Candelaria* que pesaba unas 25 toneladas, y con una tripulación de presidiarios navegaron por la costa peligrosa. Una tormenta les condujo a una bahía ancha que, más tarde, fue llamado Puerto Madryn por los colonizadores. Cuando la tormenta se calmó, navegaron por la costa cuarenta millas más hasta entrar en un estuario peligroso y poner el pie en el valle que llamaron Camwy. Después de encontrar muchos problemas volvieron a Buenos Aires, y firmaron un acuerdo con el gobierno de Argentina antes de partir hacia Liverpool. Aunque no estaban contentos con el acuerdo, ya que sólo se les concedía la tierra, Lewis Jones y otros miembros del comité de Liverpool viajaron por todo Gales describiendo el valle de Camwy como un paraíso. Es por eso que se logró convencer al grupo de 153 a que se partiera hacia Patagonia en la *Mimosa*. Transcurrieron dos meses antes de que pusieran pie en tierra firme.

Ya he hablado de los millares que se habían mudado de Gales, pero esta ocasión era diferente. Es dudoso que haya ocurrido algo parecido en la historia de cualquier otro país. Aquí tenemos un grupo de campesinos que osaron emprender un viaje a una zona inexplorada del mundo, sin la seguridad de poder ganarse la vida y con la amenaza de indios primitivos. Y sólo tenían sus sueños y su fé para sostenerles. Y el pequeño comité de Liverpool intentaba establecer un nuevo país en las regiones más aisladas del mundo sin ninguna experiencia práctica de abrir nuevos caminos, y sin saber mucho del comercio y sin mucho apoyo en Gales, ni recursos financieros.

Al amanecer el domingo, el buque se deslizó por la ría de Liverpool y por la mañana el capitán celebró una misa anglicana. Se organizó una escuela dominical por la tarde y una misa inconformista al atardecer. Se celebraba una reúnion para rezar todas las tardes durante el viaje. Para el lunes estaban cerca de Anglesey donde se encontraron con una tempestad violenta. Es fácil imaginar la experiencia de los viajeros que estaban encerrados como ovejas en la bodega, mientras las tormentas sacudían el buque viejo como un corcho, y ellos se mareaban. Una lancha de socorro salió para rescatarlos, pero el capitán Pepperrell rechazó la ayuda. Por fin, el viento se amainó y el buque continuó con el viaje. La vida era muy monótona durante el viaje de dos meses. De vez en cuando otro buque pasaba cerca y era divertido ver la confusión del capitán del buque cuando intentaba adivinar a que país el dragón rojo pertenecía. Cuando navegaban hacia

rhywbeth dros dro oedd y siom, a bod y wlad hyfryd y tu hwnt i'r bryniau moel. Aeth rhai o'r gwŷr ifainc i ben y bryniau i weld y wlad, mentrodd un yn rhy bell, aeth ar goll ar y paith, a bu farw o newyn a syched.

el ecuador hacía mucho calor y la cubierta les ofrecía muy poca sombra. El buque apenas se movía a causa de la falta de viento, y por eso, se les dejó a los jóvenes bañarse en el mar atados a una cuerda para que pudieran tirarlos hacia el buque en caso de peligro. Hubo dificultades un día cuando el capitán insistió en que se cortara el pelo de las chicas, y los galeses se oponían a ello. Murieron cuatro niños durante el viaje, y nacieron dos niños.

Los viajeros hablaban del campo abierto rica que les esperaba, ya que los organizadores les habían hablado del campo abiertoen las orillas de un río ancho que estaba lleno de peces. Les habían descrito el valle de pasto abundante y de frutales, donde se agrupaban las ovejas salvajes y las avestruces. Pero cuando llegaron, la desilusión fue enorme. Llegaron en la bahía y desembarcaron en la playa desagradable en pleno invierno. El día era corto y la lluvia les azotaba, y hacía un frío cortante. Sin embargo, eran tan valientes y optimistas que insitían en creer que la desilusión sería de corto plazo, y que había un país bonito más allá de las colinas peladas. Algunos de los hombres subieron las colinas para ver la tierra; uno se atrevió a ir demasiado lejos y se perdió en medio de la pampa y murió de sed y de hambre.

Y Glanio

Dri mis cyn i'r fintai gyntaf gychwyn o Lerpwl, anfonwyd Lewis Jones ac Edwyn Roberts i baratoi ar gyfer ei glaniad. Wedi i'r ddau gyrraedd pentref Patagones, llwyddodd Lewis Jones berswadio'r masnachwyr yno i roi nwyddau ac anifeiliaid iddo ar goel. Hwyliodd y ddau oddi yno ar y degfed o Fehefin yn y sgwner fach *Juno*, gan gario peth o'r nwyddau a rhai o'r anifeiliaid i lawr yr arfordir, a'u glanio ar draeth anial Porth Madryn. Deuai pum cant o ddefaid dros y paith yng ngofal gweision brodorol, ond collwyd llawer o'r rhain oherwydd i'r Indiaid ymosod arnynt. Ymadawodd Lewis Jones i gyrchu ail lwyth, a gadael Edwyn ar y traeth yng nghwmni pedwar o'r gweision, un ohonynt yn frodor o Calcutta, a'i dad yn Wyddel. Adnabyddid ef wrth ei enw cyntaf, Jerry. Dechreuwyd cloddio ffynnon ddofn gan obeithio cael ynddi ddŵr croyw. Byddai un dyn yng ngwaelod y ffynnon yn llenwi bwced â phridd, ac un arall yn ei thynnu i'r wyneb â rhaff. Un diwrnod yr oedd Edwyn yng ngwaelod y ffynnon, ac aeth y gweision ar streic a gwrthod ei godi oddi yno. Eu bwriad oedd ei adael yno i farw, a gyrru ymaith ar eu ceffylau. Yn ffodus, aethant i'r storfa cyn cychwyn, gan wledda ar y bwyd ac yfed y gwin. Erbyn yr ail noson yr oedd tri ohonynt wedi meddwi, a daeth Jerry at y ffynnon gan ollwng rhaff i lawr iddi a chodi Edwyn ohoni.

Ar 27 Gorffennaf, gwelodd Edwyn y *Mimosa* yn nesáu, brysiodd at y creigiau gwyn sydd ger y traeth, cododd faner y Ddraig Goch i ben polyn yno, taniodd ergydion i'r awyr, a rhwyfodd allan mewn cwch i'w chyfarfod. Pwysai rhai o'r merched dros ganllaw'r llong, ac meddai un wrth ei chyfeilles: 'Meri, weli di'r dyn yna? Hwnna fydd fy ngŵr i'. A daeth ei phroffwydoliaeth yn wir, oherwydd ymhen ychydig fisoedd priodwyd y ddau, yr wythfed briodas Gymraeg ym Mhatagonia a'r gyntaf i gael ei dathlu gyda gwledd.

Ychydig iawn o baratoi a fu i dderbyn y fintai gyntaf, mewn gwirionedd. Nid oedd yr ystordy lle cedwid y bwyd ond twll a naddwyd yn y graig tosga feddal, a'i orchuddio â brwyn. Yn lle'r cabanau coed a ddisgwylid, nid oedd yno ond ychydig blanciau wedi eu gosod ar eu pen yn y ddaear i gysgodi'r ymfudwyr truain rhag y gwynt a'r glaw. Syniad hollol anghywir oedd gan y pwyllgor yn Lerpwl o'r hyn a fyddai'n angenrheidiol. Disgwylient i'r fintai gyrraedd i ddyffryn paradwysaidd, lle gallent fyw yn hapus ar eu ffermydd, a chael cynhaeaf ymhen ychydig fisoedd. Dyna paham iddynt argraffu arian papur at fasnachu yno. Mae'r rhai Cymraeg yn brin iawn erbyn hyn, ond yn ffodus erys dau ohonynt, un am bunt ym Mhatagonia, a'r llall am ddegswllt yng Nghymru. Nid oedd gan y pwyllgor syniad am unigedd y lle, nac am ei hinsawdd na'i ddaearyddiaeth. Pes gwyddent, ni buasent wedi danfon gwragedd a phlant gyda'r fintai gyntaf, ac yn sicr ni buasent wedi trefnu

Desembarcar

Tres meses antes de que el primer grupo saliera de Liverpool, Lewis Jones y Edwyn Roberts fueron mandados para preparar la llegada de los viajeros. Después de llegar al pueblo de Patagones Lewis Jones logró convencer a los comerciantes a que le vendieran provisiones y animales a crédito. El día diez de junio los dos salieron de Patagones en la pequeña goleta *Juno*, con un poco de las provisiones y los animales. Navegaron por la costa y llegaron a la playa desolada de Puerto Madryn. Unos hombres contratados en la región iban a conducir quinientas ovejas a través de la pampa, pero perdieron muchas de ellas en los atentados de los indios. Lewis Jones fue a buscar otro rebaño y dejó a Edwyn en la playa con cuatro de los hombres contratados incluso uno de Calcuta, cuyo padre era irlandés. Se le conocía por su nombre de pila, Jerry. Se empezó a perforar un pozo hondo en la esperanza de encontrar agua dulce. Un hombre en el fondo del pozo llenaba un cubo con tierra, y un otro tiraba el cubo hacia arriba con una cuerda. Un día Edwyn estaba en el fondo del pozo, y los hombres se pusieron en huelga y se negaron a tirar a Edwyn hacia arriba. La intención era de dejarlo en el pozo para morir, y largarse a caballo. Afortunadamente, antes de marcharse se regalaron con las provisiones, comiendo y bebiendo el vino. Para la segunda noche los tres se habían emborrachado, y Jerry bajó una cuerda y sacó a Edwyn del pozo.

El 27 de julio Edwyn vio acercar el *Mimosa* y fue de prisa hacia las rocas blancas que están cerca de la playa. Enarboló la bandera del dragón rojo y disparó al aire, y salió en bote hacia el buque para recibirlos. Unas mujeres se inclinaban sobre el costado del buque, y una dijo a su amiga: 'Meri, ¿ves a ese hombre? Ese será mi esposo.' Se realizó su profecía porque unos meses más tarde se casaron en la primera boda galesa que se celebró en Patagonia.

En realidad, no estaban preparados para acoger a los primeros emigrantes. El almacén donde se guardaban las provisiones era sólo un hoyo que se había excavado de la roca tosca y blanda, que estaba cubierta por unos juncos. En lugar de las cabañas de madera que esperaban sólo había unas tablas de madera colocadas en la tierra para cobijar a los pobres emigrantes del viento y la lluvia. El comité en Liverpool se había equivocado en sus ideas sobre los requisitos. Esperaban que el grupo llegara a un valle idílico donde podían vivir alegremente en sus granjas y segar una cosecha después de unos meses. Por eso, imprimieron papel moneda con el que podían comerciar. Los billetes son en galés y quedan muy pocos. Sin embargo hay un billete de una libra en Patagonia y otro de diez chelines en Gales. El comité no sabía nada del aislamiento del país ni su clima ni su geografía. Si hubieran sabido no habrían mandado a las mujeres y a los niños con el primer grupo, y es seguro que no habrían organizado un desembarco

iddynt lanio yno yng nghanol gaeaf. Ond pobl ddewr oedd y Cymry hyn. Bu'r gwragedd a'r plant yn byw am chwech wythnos mewn cabanau pren ger y traeth. Bu helynt wrth geisio godro'r gwartheg gwyllt. Aeth gwraig i odro un ohonynt, ond rhuthrodd y fuwch ati fel tarw Sbaen, a llwyddodd hithau i ddianc am ei bywyd trwy luchio'r piser am gyrn yr anifail. Pan ymosododd buwch ar un o'r dynion, llwyddodd yntau i afael yn ei chynffon, ond aeth ei law yn rhwym ynddi ac fe'i llusgwyd cryn bellter cyn i'r gynffon ddod yn rhydd yn ei ddwrn.

Dychwelodd Lewis Jones gyda'r trydydd llwyth, y tro hwn ar fwrdd sgwner drigain tunnell a'i henw *Mary Helen*. Erbyn hyn yr oedd ganddynt tua hanner cant o wartheg a cheffylau, mil o ddefaid, chwe mochyn, chwe chi, pedwar ych, trol, dau ddwsin o erydr, tri chan sachaid o wenith, ugain sach o datws, a chwe mil o droedfeddi o flancedi. Mewn gwirionedd, nid oedd ganddynt ond prin ddigon o fwyd i'w cynnal am dri mis yn unig, a hynny trwy ei ddogni yn ofalus.

Penderfynwyd symud ymlaen yn ddioed i Ddyffryn Camwy. Bu'n rhaid cerdded dros 40 milltir o baith i gyfeiriad y de, a hynny dros res o fryniau neu ucheldiroedd, y tir yn raeanog a thywodlyd. Tua 70 milltir o hyd wrth ddeng milltir o led yw Dyffryn Camwy, ond mae'n culhau yn ei ganol i ryw chwe milltir. Mae ei wyneb yn hollol wastad, ac yn ymestyn o'r môr i'r dwyrain rhwng dwy res o fryniau moel a sych, nes culhau rhwng y creigiau yn ei ben uchaf. Trwy fwlch yn y creigiau hyn llif afon fawr, sy'n ymdroelli fel sarff hyd wyneb y dyffryn nes arllwys i'r môr. Mae ei dyfroedd yn llwyd gan iddi deithio dros bedwar can milltir o beithdir o'i tharddiad rhwng mynyddoedd yr Andes.

Cychwynnodd y criw cyntaf o 18 gŵr ifanc dan arweiniad Edwyn Roberts. Cariai pob un ohonynt ddryll a deg pwys o fisgedi caled, digon i'w cynnal am bedwar neu bum niwrnod. Gwersyllwyd y noson gyntaf mewn hafn yng ngolwg y môr. Cysgent yn rhes dan y llwyni, a dau ŵr dan arfau i'w gwarchod. Daeth sŵn sydyn ac agos, deffroes pob un mewn dychryn, ond deallwyd mai cyfarthiad llwynog ydoedd, ac nid bygythiad Indiaid. Yn ystod yr ail ddiwrnod gwelsant gwmwl o lwch yn troelli i'r awyr. Gan dybio mai mwg o wersyll Indiaid ydoedd, gwyrasant i gyfeiriad y môr, ac ychwanegodd hynny bellter at eu siwrnai. Wrth wersyllu yr ail noson gwelwyd bod rhai o'r llestri o ddŵr croyw wedi'u torri a'u bod bron yn wag. Yn ystod y trydydd diwrnod ni allai William Roberts fynd gam ymhellach; taenodd ei wely yng nghysgod perth ac erfyn iddynt ei adael yno i farw. Erbyn canol dydd yr oedd pymtheg o'r lleill yn rhy sychedig a llesg i fynd ymhellach. Aeth Edwyn a dau lanc arall ymlaen, a dychwelyd ganol nos â'u llestri yn llawn dŵr. Wedi iddynt dorri eu syched, symudasant ymlaen bedair milltir nes cyrraedd at y llyn y cafwyd y dŵr ohono, a chysgwyd yno hyd pedwar o'r gloch y pedwerydd diwrnod wedi

en pleno invierno. Pero aquellos galeses eran personas valientes. Las mujeres y los niños vivieron en barracas de madera cerca de la playa durante seis semanas. Tuvieron muchos problemas cuando intentaron ordeñar las vacas salvajes. Una mujer intentó ordeñar una vaca que corrió rápidamente hacia la mujer, que sólo pudo escapar arrojando su balde sobre los cuernos de la vaca. Una vaca se lanzó sobre un hombre que pudo agarrarse a la cola de la vaca, pero su mano se quedó enredado en la cola y fue arrastrado una distancia hasta que la cola se desprendió de la vaca.

Lewis Jones volvió con la tercera carga, pero esta vez estaba a bordo de una goleta de sesenta toneladas que se llamaba *Mary Helen*. Ahora tenían una cincuentena de vacas y caballos, un millar de ovejas, seis cerdos, seis perros, cuatro bueyes, una carreta, dos docenas de arados, trescientos sacos de trigo, veinte sacos de patatas y seis mil pies de tela. En realidad apenas tenían suficiente comida para sostenerles durante tres meses, y eso sólo racionando la comida con mucho cuidado.

Decidieron moverse cuanto antes al valle de Camwy. Tenían que marchar más de cuarenta millas hacia el sur a través de la pampa y una sierra de colinas donde la tierra era arenosa y pedregosa. El valle de Camwy tiene setenta millas de largo y diez millas de ancho, pero en medio se estrecha a unas seis millas de ancho. La superficie es completamente llana, y extiende desde el mar hacia el oeste entre dos sierras secas, hasta estrecharse en un desfiladero entre las rocas en la parte más occidental. Desde el desfiladero corre un río grande que serpentea por el valle hacia el mar. El agua es barroso ya que ha corrido cuatrocientas millas de pampa desde el nacimiento en los Andes.

Edwyn Roberts tenía el mando del primer grupo de dieciocho hombres. Cada uno llevaba con él un fusil y diez libras de galletas duras que les podría sostener durante cuatro o cinco días. La primera noche se acamparon en un cañón con el mar a la vista. Dormían en fila bajo los arbustos, con dos hombres armados de guardia. Un ruido les despertó, pero se dieron cuenta de que era el ladrido de un lobo y no la amenaza de los indios. El segundo día vieron una nube de polvo en el horizonte. Imaginaron que era el humo de un campamento de indios y se viraron hacia el mar, lo que añadió bastante distancia al viaje. La segunda noche cuando ponían el campamento vieron que algunas de las vasijas que llevaban el agua dulce se habían roto y que estaban casi vacías. Durante el tercer día William Roberts no podía andar un paso más y se extendió sobre su manta en la sombra de un arbusto y suplicó a los otros que le dejaran morir. Hacia mediodía, quince de los otros tenían demasiado sed y estaban demasiado cansados para seguir adelante. Edwyn y dos otros jóvenes siguieron adelante, y volvieron a medianoche con las vasijas llenas de agua. Cuando habían apagado la sed el grupo siguió andando cuatro millas más hasta llegar al lago donde habían

iddynt adael Madryn.

Wrth gychwyn ymlaen drachefn gofidient am dynged William Roberts, y gŵr a adawyd ar ôl, ond ar hynny fe welsant rywun yn nesáu ar ael y bryn, a bu llawenydd mawr o ddeall mai eu cyfaill ydoedd. Adroddodd yntau fel y bu iddo yn ddamweiniol daro ar lyn bychan, torri ei syched, a chysgu noson cyn cerdded ymlaen a'u goddiweddyd.

Ychydig ddyddiau yn ddiweddarach aeth gŵr o fintai arall ar goll ar y paith a chrwydro i gyfeiriad y môr. Er mor ingol ei syched, gwyddai nad gwiw iddo yfed y dŵr hallt. Gwelodd botel ar y tywod o'i flaen, cododd hi a'i chael yn llawn o win melys. Diau iddi syrthio o ryw long a'i chario yno ar y llanw. Er y dywedir fod y gŵr colledig hwn yn ddirwestwr selog, yfodd y gwin bob dafn, yna gorweddodd ar y traeth a chysgu'n drwm. Ailgychwynnodd ar ei daith drannoeth yn ddyn newydd, ac wrth ddilyn y traeth, cyrhaeddodd yn ôl i Fadryn yn ddiogel.

Wedi i'r minteioedd cyntaf gyrraedd y dyffryn, gwersyllai'r cwbl ar lan yr afon ger y fan lle'r adeiladwyd pentref Rawson yn ddiweddarach, sydd, erbyn heddiw yn brifddinas ar y dalaith.

Trefnasid i ddanfon bwyd i'r fintai mewn bywydfad ar hyd yr arfordir, ond ni chyrhaeddodd hwnnw. Mae'n wir iddo gychwyn ar ei fordaith, ond mae'n debyg iddo ollwng dŵr, a bu'n rhaid ei ddychwelyd i'r lan a'i adael ar y traeth. Ac wedi i'r dynion fod yn y dyffryn dros wythnos heb fwyd, penderfynwyd anfon unarddeg ohonynt yn ôl i Borth Madryn. Wedi iddynt gerdded tua hanner y ffordd, ni allent symud gam ymhellach oherwydd gwendid a newyn. Gofynnwyd i'r ieuengaf ohonynt fynd i weddio, a phenliniodd y gweddill yn gylch o'i gwmpas. Pan agorodd yr arweinydd ei lygaid, gwelodd farcud yn hofran uwchben, a saethodd ef i'r ddaear. Cymaint oedd syched y dynion nes i un ohonynt ruthro at yr aderyn, torri ei ben i ffwrdd â'i ddannedd, a sugno'i waed bob dafn. Yn ffodus, yr oedd cwmni arall o ddynion ar eu ffordd o Fadryn i'r dyffryn; clywsant yr ergyd a chyrraedd at y lleill a chael eu bwydo a'u diodi. Rhoesant y newydd i arweinydd y fintai newynog fod geneth fach wedi ei geni i'w wraig yn un o'r ogofâu ym Madryn. Gelwid y rhes o fryniau gerllaw yn Bryniau Meri i gofio'r achlysur, ac erys yr enw hwnnw ar y mapiau hyd heddiw. Yr eneth honno oedd y plentyn cyntaf a anwyd i'r Cymry ym Mhatagonia, ac yn rhyfedd iawn, ei mab hithau oedd y Gweinidog Cartref yn Llywodraeth y Dalaith bum mlynedd yn ôl.

Ceisiwyd cludo'r gwragedd a'r plant o Fadryn ar hyd yr arfordir i'r dyffryn yn y sgwner *Mary Helen*. Disgwylid cyrraedd yno ymhen deuddydd, ond cododd storm, chwythwyd y llong o'i llwybr, ac ni chyrhaeddodd ben ei siwrnai am 17 niwrnod. Collwyd deg sachaid o wenith ohoni, a rhai eitemau personol. Darfu'r dŵr croyw ar ei bwrdd, a gwybu'r hanner cant o wragedd a phlant syched enbyd. Er gwybod am enbydrwydd y fordaith honno,

obtenido el agua. Durmieron cerca del lago hasta las cuatro de la tarde del cuarto día desde que habían partido de Madryn.

Al partir de nuevo se preocupaban por William Roberts, el hombre que habían dejado, pero, de repente, vieron acercar alguien por la colina, y se alegraron de ver que era su amigo. Les contó como, por casualidad, había dado con un pequeño lago donde pudo apagar la sed y dormir antes de seguir andando y alcanzarles a ellos.

Unos días más tarde un miembro de otro grupo se perdió en la pampa y se desvió hacia el mar. Aunque tenía mucha sed sabía que no debía beber el agua salada. Vio una botella en el arena y la recogió, y descubrió que era llena de vino dulce. Sin duda habría caído de un barco y la marea la habría llevado hasta allí. Aunque decían que este hombre era un abstemio severo, bebió todo el vino y se echó en la playa donde durmió profundamente. La mañana siguiente cuando se puso en camino de nuevo se sentía como nuevo y siguiendo la playa volvió sano y salvo a Madryn.

Cuando los primeros grupos llegaron al valle se acamparon en las orillas del río cerca del lugar donde, posteriormente, se construyó el pueblo de Rawson, que hoy en día se ha convertido en la capital de la provincia.

Se había organizado que una lancha de socorro que viajaba por la litoral les trajera alimento, pero no llegó. Se había puesto en camino, pero se abrió una vía de agua y la tripulación tuvo que desembarcar y abandonar la lancha en la playa. Después de pasar siete días sin comida en el valle decidieron que once de ellos debían volver a Puerto Madryn. Después de andar la mitad del camino no podían andar más porque estaban demasiado débiles y tenían demasiada hambre. Pidieron al más joven que rezara, y los otros se pusieron de rodillas. Cuando el líder abrió los ojos vio cernerse un milano real encima de ellos y lo mató de un tiro. Uno tenía tanta hambre que fue corriendo hacia el ave y arrancó la cabeza con los dientes y empezó a chupar la sangre. Afortunadamanete, otro grupo se dirigía desde Madryn hacia el valle, y al oír el disparo se acercaron a los otros y les dieron de comer y de beber. Comunicaron la noticia al líder del grupo hambriento que su mujer había dado a luz a una niña en una de las cuevas de Madryn. Para conmemorar la ocasión llamaron una sierra cercana *Bryniau Meri*, y el nombre permanece en los mapas hasta el día de hoy. Aquella niña era el primer bebé que nació a los galeses en Patagonia, y cosa interesante, su hijo era el Ministro del Interior del gobierno de la provincia hace cinco años.

Intentaron llevar a las mujeres y los niños desde Madryn al valle por la costa en la goleta *Mary Helen*. Debían llegar en dos días pero hubo una tormenta y el barco fue desviado por el viento, y sólo llegó a su destino diecisiete días más tarde. Diez sacos de trigo y algunos efectos personales cayeron al agua. Se agotó el agua potable, y las cincuenta mujeres y los niños aguantaron mucha sed. Aunque sabían de la dureza del viaje, más mujeres y niños se arriesgaron a un

mentrodd rhagor o wragedd a phlant ar ail siwrnai yn y llong fach, a chyrraedd y tro hwnnw ymhen dau ddiwrnod.

Wedi i bawb gyrraedd y dyffryn, adeiladwyd bythynnod bach o bridd, gyda brwyn a gwiail yn do iddynt. Gwnâi bocs y tro yn lle bwrdd, a phenglog buwch wedi ei orchuddio â chroen dafad yn lle cadair. Adeiladwyd ystordy bychan i gadw'r bwyd, ac yn hwnnw y cynhelid y cyfarfodydd crefyddol a llenyddol. Yno hefyd y byddai eu senedd o ddeuddeg gŵr yn cyfarfod.

Daeth nifer o filwyr yno ym mis Medi, gyda swyddog milwrol a gynrychiolai Lywodraeth Ariannin. Amcan ei ymweliad oedd rhoi iddynt yr hawl i sefydlu yno. Mewn seremoni fechan, codwyd baner Ariannin i chwifio yn awyr Patagonia am y tro cyntaf.

Pennaf arswyd yr arloeswyr oedd yr Indiaid. Ofnent ymosodiad gan yr Arawcaniaid yn arbennig; cenedl ffyrnig a chwerylgar a fu'n ymosod ar sefydliadau'r Sbaenwyr yn y gogledd. Ond ni ddaeth llawer o'r rhain i lawr i Batagonia hyd nes iddynt gael eu herlid yn greulon gan filwyr Ariannin yn ddiweddarach. Llwythau'r Tehuel-che a grwydrai Patagonia, pobl lonydd a swrth, er eu bod hwythau yn gallu ymladd yn ddewr yn erbyn eu gelynion. Pan ddaeth yr Indiaid hyn i'r dyffryn, daethant yn ffrindiau gyda'r Cymry. Galwent hwy yn 'Gyfeillion yr Indiaid', ond eu henw ar y Sbaenwyr oedd Cristianos. Rhoes yr Indiaid hyn gig i'r Cymry a'u dysgu i hela ar y paith, a thrwy hynny eu cadw'n fyw rhag newyn.

segundo viaje en el pequeño barco, el que esta vez llegó en dos días.

Cuando todos habían llegado al valle, construyeron pequeñas chozas de barro, con techos de junco y de sauce. Utilizaban cajas como mesas, y los cráneos de vacas cubiertos de piel de carnero como sillas. Construyeron un pequeño almacén para guardar el alimento, y allí también celebraban reuniones religiosas y literarias. En el almacén también, los doce miembros de la junta directiva se reunían.

En septiembre vinieron unos soldados con un oficial del gobierno de Argentina. El motivo de la visita era autorizar la colonización de la tierra por los galeses. En una ceremonia la bandera de Argentina fue enarbolada en Patagonia por primera vez.

Más que nada los colonizadores temían a los indios. Sobre todo tenían miedo a los araucanos que era una tribu feroz y peleona que había atacado a los pueblos españoles en el norte. Pero no vinieron muchos de ellos hacia el sur hasta más tarde cuando fueron perseguidos cruelmente por los soldados argentinos. Eran las tribus Tehuel-che que recorrían Patagonia. Era un pueblo tranquilo e inerte, aunque también podía luchar valientemente contra sus enemigos. Cuando estos indios vinieron al valle, se hicieron amigos con los galeses. Les llamaban a los galases 'los amigos de los indios,' pero llamaban a los españoles, 'los cristianos.' Estos indios dieron carne a los galeses y les enseñaron como cazar en la pampa, lo que les impidió morir de hambre.

Sefydlu

Anodd yw crynhoi'r holl helbulon a wynebodd y Cymry yn ystod y tair blynedd gyntaf yn y Wladfa. Trin a hau'r tir, ond disgwyl yn ofer am law, a'r egin yn crino yn y gwres. Buont ar un adeg am ugain mis heb unrhyw gysylltiad â'r byd oddi allan, ac yn gorfod byw ar helwriaeth yn bennaf. Wedi iddynt gael llong fach i ddal cyswllt â'r byd, aeth honno gyda'r dynion a oedd yn griw arni ar goll mewn storm. Ac eto, dalient i fyw yn union fel petaent yng Nghymru. Addolent ar y Sul, a chadw cyfarfod gweddi a chyfeillach a chyfarfodydd llenyddol ar nosweithiau'r wythnos. Cyhoeddent bapur newydd Cymraeg mewn ysgrifen unwaith y mis.

Cafwyd hyd i sgerbwd llong ar y traeth, llusgwyd caban y capten i ben y bryniau, a'i droi'n ysgol i'r plant. Llawr pridd oedd iddo, a naddwyd y meinciau yn anghelfydd o foncyffion helyg. Aeth yr athro a'r plant ati i gasglu cerrig gwastad a'u defnyddio fel llechi ysgrifennu. Ni chlywid gair ond y Gymraeg yn yr ysgol, a'u hunig lyfr oedd y Beibl. Lluniodd yr athro werslyfrau Cymraeg, a hynny pan oedd y *Welsh Not* mewn bri yng Nghymru. Un o blant yr ysgol hon oedd Eluned Morgan, a ysgrifennodd bedwar llyfr yn ddiweddarach, llyfrau a ystyrir heddiw yn glasuron yr iaith Gymraeg.

Wedi iddynt fod yno am ddeunaw mis, mynnai'r mwyafrif ymadael, ac anfonwyd cais am long i'w cludo i un o daleithiau'r gogledd. Aethant oll i Borth Madryn i ddisgwyl y llong, ond perswadiwyd hwy i ddychwelyd a rhoi prawf arall ar y lle. Erbyn hyn roedd yr Indiaid wedi llosgi a dinistrio'u bythynnod, a hynny, mae'n debyg, rhag i'r Sbaenwyr ddyfod yno i sefydlu. Yr oeddynt yn falch iawn o gael croesawu'r Cymry yn ôl, a rhoesant geffylau a phob cymorth iddynt ddychwelyd dros y paith o Fadryn.

Yna bu tro ffodus a fu'n allwedd i lwyddiant y sefydliad. Aeth Aaron Jenkins i weld llain o dir a heuwyd ganddo ger yr afon, a chael yr egin yn crino yn y gwres. Gan fod torlannau'r afon yn uwch nag wyneb y dyffryn, awgrymodd ei wraig iddo agor bwlch a gollwng y dŵr dros wyneb y llain. Gwnaeth yntau hynny, gan gau'r bwlch wedi iddo fwydo'r tir. Canlyniad hyn oedd iddo gael cynhaeaf campus, a dilynwyd ei esiampl gan eraill. Pan oedd y cynhaeaf yn barod i'w gario o'r meysydd, daeth llif mawr gan ysgubo'r cwbl i'r môr. Ond yr oeddynt wedi sylweddoli y deuai llwyddiant ond iddynt ddyfrhau'r tir, a gweithient yn galed i sicrhau hynny. Ceisiwyd codi argae ar draws yr afon i gronni'r dŵr, ac wedi llawer methiant, llwyddwyd i godi un gref rhwng y creigiau ym mhen uchaf y dyffryn. Oddi yno agorwyd dwy gamlas fawr, un o bobtu i'r afon, i gludo'r dŵr i'r ffermydd. Gwaith enbydus o galed oedd agor y camlesi hyn â dim ond caib a rhaw, oherwydd yr oeddynt tua chant a hanner o filltiroedd o hyd. Eithr cafwyd cynaeafau da, ac enillodd

Arraigarse

Sería difícil resumir todas las dificultades que se presentaron a los galeses durante los primeros tres años de la colonia. Después de arar y sembrar esperaron en vano la lluvia, y los brotes se secaron bajo el calor. Una vez, permanecieron veinte meses sin ningún contacto con el resto del mundo, y tuvieron que alimentarse principalmente de la caza. Cuando obtuvieron un pequeño barco para mantenerse en contacto con el resto del mundo, fue perdido durante una tormenta junto con los hombres a borde. Y sin embargo, seguían viviendo como si estuvieran en Gales. Asisitían al culto los domingos, y celebraban reuniones religiosas y literarias entre semana. Publicaban un periódico galés escrito a mano una vez al mes.

Descubrieron el casco de un barco en la playa, y arrastraron el camarote del capitán a las colinas donde fue convertido en una escuela para los niños. El suelo era de barro y los bancos fueron tallados toscamente de troncos de sauce. El profesor y los niños coleccionaron piedras planas que utilizaron como pizarras de escribir. Sólo hablaban galés en la escuela, y el único libro era la Biblia. El profesor escribió libros de texto en galés aunque era la época de *Welsh Not* en Gales. Una de las niñas era Eluned Morgan quien, más tarde, escribió cuatro libros que, hoy en día, son considerados obras clásicas del idioma galés.

Después de diecinueve meses la mayoría quería marcharse, y pidieron un barco que los llevara a una de las provincias del norte. Todos fueron a Puerto Madryn para esperar el barco pero les persuadieron a volver. Para entonces los indios habían quemado y destruido las chozas, probablamente para impedir que los españoles se establecieran. Se alegraron de que los galeses hubieran vuelto, y les dieron caballos y mucha ayuda para que pudieran volver por la pampa desde Madryn.

Luego, por suerte, descubrieron la clave del éxito de la colonia. Aaron Jenkins fue a ver una franja de tierra que había sembrado cerca del río, y vio que los brotes se secaban bajo el calor. Como las orillas del río estaban más altas que el fondo del valle, su mujer sugirió que abriera una brecha y dejara correr el agua por la franja de tierra. Esto es lo que hizo, y cerró la brecha una vez que había mojado la tierra. Por consiguiente obtuvo una buena cosecha y otros siguieron su ejemplo. Sin embargo, cuando era el tiempo de recoger la cosecha, una avenida barrió todo y lo llevó al mar. Pero se habían dado cuenta de que tenían que regar la tierra para tener éxito, y trabajaron muy duro para lograrlo. Hubo una tentativa de contener el río con un dique, y después de muchos fracasos lograron construir un dique fuerte entre las rocas en la parte más alta del valle. Desde el dique abrieron dos canales, uno en cada lado del río para traer agua a las granjas. Era muy duro abrir los canales sólo con picos y palas, porque tenían unas ciento

grawn o'r Wladfa y fedal aur mewn dwy arddangosfa gydwladol – y naill ym Mharis a'r llall yn Chicago, a daeth gwenith Patagonia yn enwog yn fyd eang.

Nid llwyddiant tymhorol yn unig fu yn hanes y Wladfa. Lluniwyd cyfansoddiad gwladwriaethol i'r sefydliad, a phan gyfieithwyd hwn yn ddiweddar i'r Sbaeneg a'i gyhoeddi yn Ariannin, canmolid ef fel 'emyn i ryddid' a chydnabod mai hwn oedd y 'sail gyntaf i ddemocratiaeth yn Neheudir America'. Etholid aelodau'r senedd bob blwyddyn, a rhoddid pleidlais ddirgel i bawb dros ddeunaw oed. Aeth hanner canrif a mwy heibio cyn i'r ferch gael pleidlais ym Mhrydain Fawr, ac ni roddir pleidlais i rai dan un ar hugain oed hyd yn oed heddiw. Etholid deuddeg gŵr i'w llywodraethu, a byddai'r senedd hon yn cyfarfod bob mis, gyda'r holl drafodaethau a'r cofnodion yn y Gymraeg. Lluniodd y senedd ddeddfau, a'r rheini'n cael eu gweinyddu mewn dau lys Cymraeg.

Cyn pen ugain mlynedd wedi i'r fintai gyntaf lanio yno, yr oedd y sefydliad yn llwyddiant mawr, a'r freuddwyd o Gymru Rydd yn cael ei sylweddoli. Adeiladwyd capeli, ac yr oedd y bywyd crefyddol yn dal i ffynnu. Penllanw y gweithgarwch llenyddol oedd yr eisteddfod gadeiriol a gynhelid bob blwyddyn, gyda'i Gorsedd y Beirdd, ei bardd cadeiriol a'i chorau, yn union fel yng Nghymru. Cynhelid cyfarfodydd undebol yr ysgolion Sul yn eu tro, a chymanfaoedd canu a chyfarfodydd pregethu yn yr ardaloedd gwahanol.

Ailenynnwyd diddordeb yn y Wladfa ymhlith rhai pobl yn yr Unol Daleithiau, ac anfonwyd tair mintai oddi yno. Eithr ni bu'r un o'r rhain yn hollol lwyddiannus. Prynwyd llong ddau gan tunnell o'r enw *Rush* a hwyliodd 29 o ymfudwyr arni, ond gwasgaru a diflannu a wnaeth y cwbl ohonynt wedi iddynt gyrraedd Buenos Aires. Yna prynwyd yr *Electric Spark*, llong fach 66 tunnell. Hwyliodd hithau gyda 33 o ymfudwyr cefnog, a berchenogai y llong a chanddynt offer amaethu a'u celfi eu hunain. Aeth hon yn ddrylliau ar draeth Brazil, ac wedi llawer o ddioddef cyrhaeddodd y fintai i'r Wladfa heb arian nac eiddo. Mae'n wir i'r drydedd fintai o 46 o ymfudwyr gyrraedd yn ddiogel, er iddynt hwythau hefyd ddioddef newyn ar y fordaith. Bu'n dda i'r Wladfa gael yr ymfudwyr hyn o'r Unol Daleithiau, gan eu bod eisoes wedi cael profiad o arloesi gwlad newydd.

Daeth dau neu dri masnachwr i'r Wladfa gyda llongau bychain, a bu'n dda wrthynt hwythau i gadw'r cyswllt â'r byd oddi allan. Erbyn hyn deuai minteioedd bychain yn gyson o Gymru, nes i'r fintai fwyaf, o 465 o bobol, gyrraedd yno ar fwrdd y *Vesta* yn 1886. Cyflogwyd y mwyafrif o'r rhain gan Lewis Jones i adeiladu rheilffordd rhwng Madryn a'r dyffryn. Digwyddiad pwysig arall yn hanes y sefydliad oedd ffurfio Cwmni Masnachol Cydweithredol. Y Cymry eu hunain a berchenogai hwn, a bu'n fendith mawr iddynt am flynyddoedd. Erbyn 1886 cynyddodd y boblogaeth i 1,600, a Chymraeg oedd yr unig iaith a siaredid yno. Pan ddeuai Sbaenwr neu

cincuenta millas de largo. Pero con todo esto, tuvieron unas buenas cosechas, y los granos de la colonia ganaron la medalla de oro en dos exposiciones internacionales, una en París y la otra en Chicago, y el trigo de Patagonia llegó a ser famoso en todo el mundo.

El éxito de la colonia no sólo fue de corto plazo. Prepararon una constitución civil, y recientemente cuando la tradujeron al español y la publicaron en Argentina, fue alabada y la llamaron 'un himno a la libertad' y fue reconocida como 'el primer fundamento de la democracia en Sudamérica.' Cada año elegían los miembros del senado, y todos los que tenían más de dieciocho años tenían el derecho de votar en secreto. Transcurrieron cincuenta años antes de que la mujer tuviera el derecho de votar en Gran Bretaña, y aún hoy los que tienen menos de veintiún años no pueden votar. Elegían doce miembros al gobierno, y el senado se reunía una vez al mes. Todas las discusiones y las actas eran en galés. El senado preparó leyes que se administraban en dos cortes galesas.

Menos de veinte años después de la llegada del primer grupo, la colonia era un éxito, y se estaba llevando a cabo el sueño de un Gales libre. Se construyeron capillas, y la vida religiosa seguía floreciendo. La culminación de la actividad literaria era el *eisteddfod*, con su propio *Gorsedd* de poetas y los coros, como en Gales. De vez en cuando se juntaban las escuelas dominicales para celebrar reuniones y también se celebraban festivales de cantar y reuniones de predicar en las varias regiones.

La colonia despertó de nuevo el interés de muchas personas en los Estados Unidos y desde allí vinieron tres grupos. Pero ninguno de los grupos tuvo un éxito completo. Veintinueve inmigrantes salieron hacia Patagonia en el barco de doscientas toneladas, *Rush*, pero cuando llegaron a Buenos Aires todos se dispersaron. Luego el pequeño barco de 66 toneladas, *Electric Spark*, fue comprado y salió con 33 pasajeros que eran, esta vez, personas ricas que habían comprado el barco y poseían sus propios implementos agrícolas y muebles. Pero el barco naufragó en la costa del Brasil, y después de sufrir mucho llegaron a la colonia sin dinero ni sus posesiones. Un tercer grupo de 46 inmigrantes llegó sin accidentes aunque ellos sufrieron mucha hambre. La colonia tuvo suerte en poder atraer a los inmigrantes desde los Estados Unidos porque ya tenían experiencia de colonizar un nuevo país.

Vinieron algunos comerciantes a la colonia con sus pequeños barcos y también ayndaron a mantener el contacto con el resto del mundo. Y para entonces venían pequeños grupos desde Gales con regularidad, y el grupo más grande, que era de 465 personas, llegó a bordo del *Vesta* en 1886. La mayoría de ellos fueron empleados por Lewis Jones para construir una vía férrea entre Madryn y el valle. Un nuevo avance importante para la colonia fue la formación de la Compañía Mercantil Cooperativa. Los propios galeses eran los dueños de la compañía, y resultó provechosa a los galeses durante muchos años. Para 1886 la población

Eidalwr i'r sefydliad, buan iawn y dysgent siarad Cymraeg a dyfod yn gystal Cymry â'r gweddill yno.

había crecido a 1,600 y sólo hablaban galés. Cuando algunos españoles o italianos llegaban en la colonia, aprendían muy pronto la lengua y llegaban a ser tan galeses como los otros.

Agor y Paith

Un o broblemau a wynebai pobl y Wladfa erbyn 1885 oedd prinder tir i'w amaethu gan i'r holl ddyffryn gael ei drin yn ffermydd llwyddiannus. Yr oedd rheswm arall dros brinder tir, sef y gyfraith a orfodai rannu'r eiddo'n gyfartal rhwng y plant wedi marwolaeth eu rhieni. Petai ond pedwar plentyn mewn teulu, ni fyddai rhan pob un ohonynt ond chwarter y fferm a arloeswyd gan eu rhieni. Gwyddent erbyn hyn fod digonedd o dir y tu hwnt i'r dyffryn, ond ei fod yn beithdir anial. Dechreuodd rhai o'r bechgyn ifainc fynd ar deithiau ymchwil i'r berfeddwlad. Ni ellid cael eu gwell i'r pwrpas hwnnw, oherwydd iddynt fod wedi eu magu yn Nyffryn Camwy, wedi aeddfedu yng nghyfnod y caledi cynnar, yn farchogwyr ac yn helwyr penigamp, ac yn hyddysg yn arferion y paith a'r Indiaid. Chwilfrydedd ac ysbryd antur oedd un rheswm am iddynt fynd ar y teithiau peryglus hyn. Yna daeth y sôn fod aur i'w ddarganfod a'i feddiannu yn y tiroedd dirgel, a bu llawer o gyrchu amdano. Wedi iddynt ddarganfod yr aur, ffurfiwyd cwmnïau i'w weithio. Gwariwyd llawer o arian ar offer a gweithwyr, ond ni ddarganfuwyd digon ohono i fod yn broffidiol. Pennaf amcan mentro dros y paith, fodd bynnag, oedd i chwilio am fannau addas ar gyfer sefydliadau newydd.

Aent allan o'r dyffryn i ddechrau bob yn ddau neu dri, gan grwydro dros y paith dirgel am wythnosau, a byw ar helwriaeth yn bennaf cyn troi'n ôl tuag adref. Yr enwocaf o'r anturiaethwyr hyn oedd John D. Evans, a ddaethai i'r Wladfa yn dair oed gyda'r fintai gyntaf yn 1865, ac a adwaenid fel Baqueano – arweinydd medrus a gŵr cyfarwydd â bywyd a llwybrau'r paith.

Er i'r berthynas rhwng y sefydlwyr a'r Indiaid fod yn un cyfeillgar ar hyd y blynyddoedd, bu ambell helynt pan fyddai rhai ohonynt yn lladrata anifeiliaid y Cymry. Ond eithaf dibwys oedd yr helyntion hynny. Yn nechrau'r wythdegau, fodd bynnag, bu ymgyrchu gwyllt yn erbyn yr Indiaid gan filwyr Ariannin. Gyrrid hwy yn is i'r de, gan ladd miloedd ohonynt, a thrin y gweddill yn greulon cyn eu hanfon yn gaethion i'r brifddinas. Ffyrnigwyd yr Indiaid gan y driniaeth, a themtid rhai o'r llwythau i ddial y cam. Un tro ceisiodd y penaethiaid Foyel a Saihweci berswadio'r pennaeth Sagmata i ymuno â hwy i ymosod ar y Wladfa. Gwrthododd yntau, ac anfonodd lythyr i rybuddio 'i gyfaill, Lewis Jones. Lledodd braw trwy'r dyffryn, casglwyd byddin fechan i amddiffyn y sefydliad, a gosodwyd gwylwyr ar y bryniau. Paratowyd rhes o goelcerthi yn barod i'w tanio pe ymosodid arnynt ond bu un o'r gwylwyr yn esgeulus wrth danio ei bibell a rhoes ei goelcerth ar dân mewn camgymeriad. Tybiwyd fod yr Indiaid yn nesáu, casglwyd y gwragedd a'r plant i'r man diogelaf, a threfnwyd i'w hamddiffyn. Aeth un o'r gwladfawyr a'i deulu mewn cwch dros yr afon, gan dybio y

Llong hwyliau
debyg i'r Mimosa

Un buque de vela
parecido a *Mimosa*

Y fintai gyntaf a
hwyliodd i Batagonia

El primer grupo que
viajó a Patagonia

33

Cofeb yr Indiad ym
Mhorth Madryn

3

El monumento a los
indios en Puerto
Madryn

34

Y traeth lle glaniodd y fintai gyntaf a rhai o'r ogofau La playa donde el primer grupo de inmigrantes desembarcó

Un o'r wagenni a groesodd y paith o'r Dyffryn i'r Cwm **5** Uno de los carros que cruzaron las pampas desde el valle de Camwy a los Andes

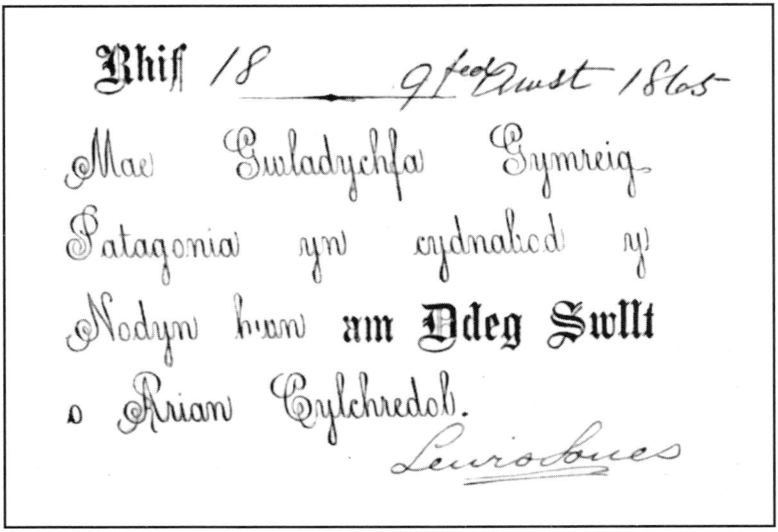

Rhif 18 _____ 9fed Awst 1865

Mae Gwladychfa Gymreig
Patagonia yn cydnabod y
Nodyn hwn **am Ddeg Swllt**
o Arian Cylchredol.

Luis Jones

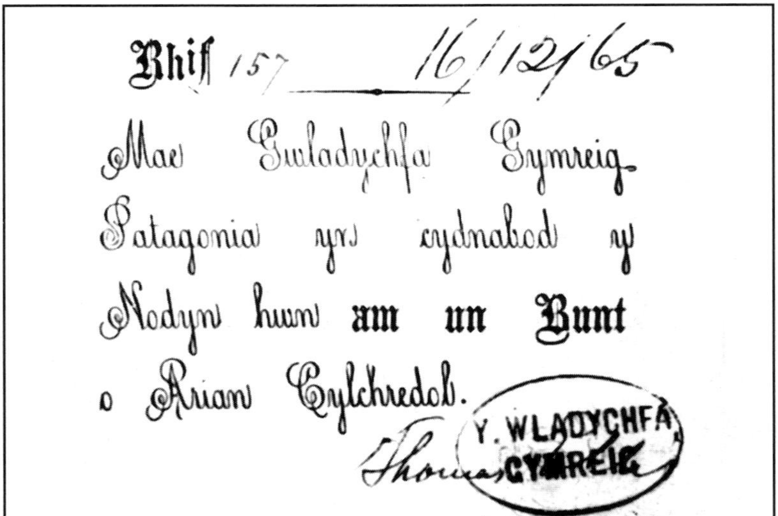

Rhif 157 _____ 16/12/65

Mae Gwladychfa Gymreig
Patagonia yn cydnabod y
Nodyn hwn **am un Bunt**
o Arian Cylchredol.

Thomas

Y. WLADYCHFA GYMREIG

6

*Y nodau arian a
argraffwyd*

Papel moneda que fue imprimido
por los colonizadores

Gwartheg porthiannus y
Dyffryn

7

El ganado bien alimentado
del valle de Camwy.

Angladd y tu allan i
gapel Y Tabernacl,
Trelew.

8

Entierro en la capilla
Tabernacl en Trelew

Eisteddfodwyr yn Nhrelew ar ddechrau'r ugeinfed ganrif.

9

Después del Eisteddfod en Trelew a principios del siglo veinte

Bedd Capten Rogers ym mynwent y Gaiman

10

La lápida sepulcural del capitán Rogers en el cementerio de Gaiman

Amgueddfa Gaiman　　　　　　El museo de Gaiman

Capel Cymraeg yn　　　La capilla galesa en
Tir Halen　　　Tir Halen

Y paith, rhwng Dyffryn
Camwy a Chwm Hyfryd

13

Las pampas entre el valle de
Camwy y Cwm Hyfryd

Croesi'r paith i'r
Andes

14

Cruzar las pampas a
los Andes

Cysgodi dan wagen Al abrigo de un carro

Edmwnd Williams, un
o feibion Bod Iwan yn
1964

Edmwnd Williams de
Bod Iwan en 1964

Tir Bod Iwan, fferm yn y
Dyffryn, 1964

Bod Iwan, una granja en el
valle de Camwy en 1964

Y gofeb i el Malacara –
y ceffyl a achubodd
fywyd John Evans

El monumento a el
Malacara

42

Indiad ger Gaiman **19** Un indio cerca de
Gaiman

Asado ger Llyn **20** Asado cerca del Lago
Futalaufqen yn yr Futalaufqen en los
Andes, 1964 Andes en 1964

Ysgol yn y dyffryn –
Goreu arf arf dysg

Un colegio eu el valle

Cwm Hyfryd

Cwm Hyfryd

*Y tŷ cyntaf a godwyd
yn Gaiman*

La primera casa que se
construyó en Gaiman

*Fferm ar odrau
mynyddoedd yr Andes*

Granja al pie de los
Andes

Y Drafod
EL MENTOR
Gwanwyn 1998 - Rhif 36 - Golygydd: Irma Hughes de Jones - Gaiman (Chubut) - Pris: $ 2

EISTEDDFOD Y WLADFA 1998

Daeth yr eisteddfod eto a gwledd i holl garedigion llên a chân o bell ac agos ym mis Hydref 1998. Cawsom gwmni corau yr Universidad de Sur, Bahia Blanca, y Facultad de Ingeniería de la Universidad de Buenos Aires ac Esquel, yn ogystal a phartï o General Roca, Rio Negro. Ac hefyd gwmni cyfeillion o rannau eraill o'r wlad, o Gymru, yr Unol Daleithiau a Seland Newydd. Y beirniaid oedd: Joan Wyn Hughes, yn beirniadu 'r gerddoriaeth, Madge a Gwilym Hughes yn beirniadu'r adrodd. Beirniad y farddoniaeth a'r rhyddiaith yn Gymraeg oedd Gerallt Lloyd Owen o Gymru a Catrin Morris, un o'n hathrawesau Cymraeg, au'r farddoniaeth yn Ysbaeneg Maria Cervini de Baggio.

Cynhaliwyd hi yn neuadd y Racing Club, Trelew.

Yn ol yr arfer ers rhai blynyddoedd bellach, dechreuwyd y gweithga eddau nos Wener, pan gafwyd y weddi agoriadol yn Gymraeg gan Mrs. Hazel Charles Evans ac yn Ysbaeneg gan Teniente Delmastro o Fyddin yr Iachawdwriaeth. Canu'r Emyn Cenedlaethol dan arweiniad Juan Lamoglie a chyfeiliant Hector Ariel Mac Donald.

Yna'r geiriau agoriadol yn Gymraeg gan Rebeca Henry ac yn Ysbaeneg gan Giovanna Recchia, a dawnsio tango gan ddau o aelodau Peña Pilnayquen. Arweinyddion yr Eisteddfod oedd Mary Zampini, Gabriel Restucha, Fabio González, Brenda Villoria, Diana Owen, Armando Ferreira a Glenda Thomas. Bu iddynt gyfnewid lle a'i gilydd yn ol yr angen yn y tri chyfarfod.

Cadeirydd y cyfarfod yma oedd Mrs. Meinir Evans de Lewis, boneddiges sydd yn adnabyddus am ei chefnogaeth gyson i bopeth cysylltiol a'r diwylliant Cymreig. Bu'r cyfarfod yn hwyliog ac 'roedd fel rhyw naws hyfryd ar bopeth yn gwneud i ni gofio am eiriau iml un, peidiwch a cholli nos Wener, os gallwch chi. Diweddwyd trwy ganu Hen Wlad fy Nhadau dan arweiniad Joan Wyn Hughes.

Ddydd Sadwrn, dechreuwyd yn

eithaf prydlon, chwarae teg, y weddi agoriadol gan Carwyn Arthur yn Gymraeg ac yn Ysbaeneg gan Alicia Picón. Canu eto'r Emyn Cenedlaethol gyd a'r un arweinydd a chyfeilydd a'r noson flaenorol. Caadeirydd y cyfarfod yma oedd Mrs. Deborah Jones de Williams o Sarmiento a deithiodd yma i'r achlysur. 'Roeddem i gyd yn falch o'i gweld a chael egwyl yn ei chwmni.

Bu gwrando ar amryfai gystadlu, mwynhau... a beirniadu!... hyd nes dod at brif atdyniad y cwrdd sef cadeirio'r bardd. Daeth yr anrhydedd yma i ran Mrs. Arel Hughes de Sarda, Trelew, am ddwy soned ar y testun gosod "Lleisiau" a chadeiriwyd hi "yn ol braint a defod" fel ag a ofynir. Y seremoni yng ngofal Mrs.

May Williams de Hughes yn cael ei chynorthwyo gan Bwyr. Ellis Roberts a Gerallt Williams. Arweiniwyd hi i'r llwyfan gan yr eneth fach Ainara Hugas a'i hebrwng gan Ana Ansaldo a Guillermo González Lloyd. Canwyd Can y Cadeirio gan Billy Hughes a bu'r ddawns flodau gan y genethod bach yn dlws iawn.

Cafwyd shel igael te, rhai yma a rhai acw. Yn llawr uchaf Neuadd Dewi Sant yr oedd wedi ei baratoi gan Mario

Jones, gyda'i hynawsedd arferol er boddlonrwydd i bawb.

Yng nghyfarfod yr hwyr bu cystadlu rhagorol hefyd, mor amrywiol ac o safon uchel. 'Roedd pawb yn unfrydol ar hyn.

Daeth y goron i ran Graciela Cross, awdures adnabyddus o Bariloche, am ei cherdd "Celta de ojos azules". Testun rhydd oedd i'r gystadleuaeth yma. Y seremoni yng ngofal Br. Virgilio Zampini. Cludydd y goron oedd Iona Evans a chanwyd yr unawd gan Marcelo Griffiths, y ddau o'r Gaiman. Y gweddill fel yn seremoni'r prynhawn.

Ac fel hyn, wedi deuddydd o fwynhad, cyfarfod a ffrindiau a chroesawu ymwelwyr, terfynodd Eisteddfod 1998.

Erys rhai pethau yn glir yn y cof, ymysg eraill cawn ddatganiad Caren Jones a Marcelo Griffiths o "Hywel a Blodwen", "Wylo wnaf" gan gor y Gaiman, Cor "Seion" yn canu'r "Bwthyn ar y bryn", rhoi y "Rhuban glas" i Mariano Fernández a ddaethai yma o Buenos Aires i ganu yn y Eisteddfod yr un fath a phan oedd yn hogyn bach yn y Gaiman.

Yna'r datganiad gwefreiddiol o "Deryn y Bwn" gan gorau Gaiman a Facultad de Ingeniería de la Universidad de Buenos Aires; yr olaf yn ennill o ryw ychydig a'r ddau yn canu hefo'i gilydd wedyn.

A chyn ffarwelio canu eto "Hen Wlad fy Nhadau" wedi cael boddhad a mwyniant o gael eto Eisteddfod a gweld fod y traddodiad yn parhau mor gryf ag erioed. Hir y parhaed felly.

Ers blynyddoedd bellach; aeth rhestr yr enillwyr yn rhy faith i ofod Y DRAFOD fel ag y mae ar hyn o bryd. Ond hyderwn fod y darllenwyr eisoes wedi ei gweld yn un o'r papurau dyddiol.

AT EIN DARLLENWYR

Fel y gwelwch wrth y "newyddion" sydd ynddo , mae'r rhifyn yma o'r Drafod, wythnosau lawer ar ol ei amser. Digwyddodd hyn oherwydd rhyw anffawd efo'r compiwtar -sori, cyfrifiadur- pethau'n diflannu dro ar ol tro. Ond daeth popeth yn iawn erbyn hyn, a dyma fo. "Gwell hwyr na hwyrach" meddai nhw a gobeithio fod hynny yn wir yn ein hanes ninnau.

Deborah Jones de Williams cadeirydd prynhawn sadwrn yr Eisteddfod.
Deborah Jones de Williams presidió la sesión del sábado a la tarde.

Y Ddawns Flodau yn yr Eisteddfod

La danza de flores en el *Eisteddfod*

Aduniad teuluol 1998 Reunión de una familia en
1998

Twm ac Iwan ar daith **27** Twm e Iwan, dos
yn y Wladfa, 1998 trovadores galeses en
1998

Gwesty Tywi,   Gwesty Tywi,
Gaiman   Gaiman

Tŷ Cymraeg,   Tŷ Cymraeg,
Gaiman   en Gaiman

Tavarn Las,   Tavarn Las,
Gaiman   Gaiman

Siop Bara,   Siop Bara,
Gaiman   Gaiman

Abrir nuevos caminos en la pampa

Ya para 1885 uno de los problemas de los colonizadores era la falta de tierra para la agricultura porque todo el valle había estado cultivado con éxito. La ley que insistía en compartir los bienes de la familia por igual entre los hijos al morir los padres también era otra razón de la falta de tierra. Si hubiera una familia de cuatro hijos, cada uno recibiría el cuarto de la granja que sus padres cultivaban. Ahora sabían que había mucha tierra más allá del valle, pero también sabían que se trataba de pampa seca. Algunos hombres jóvenes emprendían expediciones de exploración hacia el interior. No había nadie mejor que ellos para emprender esta tarea ya que se habían criado en el valle de Camwy y habían madurado en la primera época de privación. Eran muy buenos jinetes y cazadores y expertos en la forma de vida de la pampa y de los indios. Emprendían estos viajes peligrosos por motivos de curiosidad y de aventura. Más tarde se difundió el rumor de que había mucho oro a descubrir en las regiones inexploradas, y muchos se fueron a buscarlo. Y cuando descubrieron el oro se formaron compañías para explotarlo. Mucho dinero fue gastado en comprar herramientas y pagar trabajadores pero no se descubrió suficiente oro para que fuera rentable. Sin embargo, el motivo más importante por las aventuras era el de la búsqeda de tierra adecuada para nuevas colonias.

Al principio iban en grupos de dos o tres personas y recorrían la pampa misteriosa durante algunas semanas viviendo, en gran parte, de la caza, antes de volver a casa. El aventurero más famoso era John D. Evans que había venido a la colonia con el primer grupo cuando tenía tres años en 1865. Se le conocía por el nombre de Baqueano, es decir un líder diestro que conocía la vida y los caminos de la pampa.

Aunque los colonizadores y los indios se llevaron bien durante los años, hubo algunas disputas cuando éstos les robaban los animalei a los galeses. Pero las disputas no tenían mucha importancia en general. Sin embargo, a principios de los años ochenta los soldados argentinos atacaban cruelmente a los indios. Les forzaron más hacia el sur y mataron a miles de indios, y los demás fueron tratados cruelmente antes de ser mandados como esclavos a la capital. Los indios se enfurecieron del tratamiento que recibían, y algunos fueron tentados de vengarse. Una vez, los jefes de las tribus Foyel y Saihweci intentaron convencer al jefe de los Sagmata para que se juntara con ellos para atacar la colonia. Él se negó a hacerlo, y mandó una carta para advertir a su amigo Lewis Jones. El miedo se extendió por el valle, y se juntó un pequeño ejército para defender la colonia y unas guardias fueron apostadas en las colinas. Se preparó una línea de hogueras listas para encender si les atacaban, pero una de las guardias estuvo poco atento cuando encendió su pipa y encendió su hoguera por accidente. Se creó que los

buasent yn ddiogelach rhwng y creigiau ond pan oedd ar ganol yr afon, cododd ar ei draed yn y cwch, a dweud wrth ei wraig: 'Mae arna i 'want dy foddi di, Jane. Mi fuasai hynny'n well nag iti syrthio i ddwylo'r Indiaid'. Ni wnaeth hynny, wrth lwc, ond gorffen ei siwrnai, a dychwelyd i warchod ei fferm a'i eiddo. Gwelodd rywun yn nesáu yn y tywyllwch, ei farf a'i wallt yn llaes, ond adnabu ef mewn pryd fel William Jones, 'Rhen Wlad'. 'Desdimonia,' meddai'r gwladfäwr gyda'i gyfarchiad arferol, 'petai mantell Indiad amdanat, William, mi fuasai pymtheg o dyllau ynddi erbyn hyn'. Pan ddeallwyd mai yn ddamweiniol y cynheuwyd y goelcerth gyntaf, aeth pawb yn ôl i'w cartrefi.

Er cymaint y perygl, mynnodd John Evans a nifer o lanciau fynd ar daith i fyny'r afon, ac aeth pedwar ohonynt ymlaen cyn belled ag afon Eira yng ngodreon mynyddoedd yr Andes, pellter o ryw bedwar can milltir o'r dyffryn. Wedi iddynt amau fod yr Indiaid am eu dal, brysiodd y pedwar yn ôl, gan deithio am ddyddiau heb orffwyso, y ceffylau yn flinedig a'u carnau'n gwaedu, a gorfu rhwymo dau o'r bechgyn yn eu cyfrwyau. Yn nyffryn Kelkein daeth nifer o'r Indiaid ar eu gwarthaf. Lladdwyd tri o'r llanciau yn y frwydr, ond llwyddodd John Evans i ddianc ar ebol ifanc trwy lamu dros ddibyn erchyll, ac ymlwybro ymlaen dros ddau gant o filltiroedd i adrodd y stori drist. Adwaenir Kelkein heddiw fel 'Dyffryn y Merthyron'.

Yn niwedd 1885 aeth naw ar hugain o'r gwladfawyr ar daith hir, a buont oddi cartref am dri mis a hanner. Yn ystod y daith honno gwelsant ddyffryn mawr yng nghanol y mynyddoedd, a'i alw'n Cwm Hyfryd. O'i amgylch y mae'r mynyddoedd dan eira oesol, tair afon fawr yn ymddolennu trwyddo, a'i wyneb dan wair uchel a maethlon gyda digonedd o ffrwythau a blodau. O'r holl leoedd newydd a welsant ar y daith, hwn apeliodd fwyaf atynt, a phenderfynwyd codi sefydliad Cymraeg arall yno. Aeth nifer o fechgyn sengl yno i ddechrau, gan adeiladu cabanau a pharatoi'r lle i'w teuluoedd. Yna mentrodd y teuluoedd yno, ac mae hanes y teithiau hynny'n epig – croesi pedwar can milltir o gyfandir na bu olwyn erioed drosto cyn hynny, croesi'r afonydd trwy ddadlwytho a datgymalu'r wagen, a defnyddio ei gwaelod yn gwch i gario popeth drosodd. Yna rhoi'r wagen at ei gilydd a'i llwytho drachefn cyn mentro ymlaen. Pan ddeuent at ddibyn neu geunant, roedd yn rhaid gollwng y cwbl drosodd bob yn ddarn â rhaff. Bu'n rhaid mynd â'r ieir, y gwyddau, y gath a'r cŵn, y defaid a'r gwartheg i'w canlyn, gyda digon o flawd a gwenith i bara blwyddyn, ac ychydig gelfi. Teithient yn gyson a dygn am chwe wythnos, gan gysgu o dan y wagen a dibynnu'n bennaf ar helwriaeth am fwyd. Erbyn hyn, mae poblogaeth fawr gymysg rhwng y mynyddoedd hyn, ond mae Cwm Hyfryd yn dal yn Gymreig. Mae disgynyddion yr hen sefydlwyr dewr yn berchen ffermydd mawr a chyfoethog, yn dal i addoli yn y Gymraeg yng nghapel Bethel, a'r plant yn carlamu i'r ysgol ar gefn eu ceffylau.

indios se acercaban y los colonizadores reunieron a las mujeres y los niños en el lugar más seguro. Uno de los colonizadores decidió cruzar el río a remo con su familia, pensando que estarían más seguros entre las rocas. Cuando estaba en medio del río se puso de pie y le dijo a su mujer: 'Estoy tentado de anegarte, Jane. Sería preferible a que te cayeras en manos de los indios.' Por suerte no lo hizo, y terminó el viaje antes de volver para proteger su granja y sus posesiones. En las tinieblas vio acercar alguien con una barba y unos pelos largos, pero por suerte, lo reconoció a tiempo como William Jones, 'Rhen Wlad.' 'Desdimonia,' le dijo con el saludo acostumbrado, 'si hubieras llevado un manto indio William, ya tendría quince agujeros.' Cuando se supo que había prendido fuego a la hoguera por accidente, todos volvieron a casa.

A pesar del peligro, John Evans y algunos hombres jóvenes insistieron en ir río arriba, y cuatro de ellos se atrevieron a viajar hasta el río Eira al pie de los Andes, que estaba a una distancia de unas cuatrocientas millas. Cuando percibieron que los indios estaban detrás de ellos, los cuatro se dieron prisa para volver a casa. Viajaron muchos días sin descanso y las pezuñas de los caballos cansados sangraban, y tuvieron que atar a dos de los hombres a las sillas de montar. En el valle de Kelkein un número de indios les tomaron por sorpresa y mataron a dos de los hombres en la batalla, pero John Evans logró escapar con un potro joven saltando por un despeñadero escarpado, y recorriendo más de doscientas millas para poder narrar su historia triste. Hoy en día Kelkein está conocido como 'el valle de los Mártires.'

A finales del año 1885 veintinueve de los colonizadores hicieron un viaje largo, y estuvieron fuera de casa durante tres meses y medio. Durante el viaje vieron un gran valle en medio de las montañas y lo llamaron Cwm Hyfryd que quiere decir el valle agradable. Alrededor del valle las montañas están siempre cubiertas de nieve. Tres ríos serpentean por el valle que está cubierto de pasto abundante y que tiene frutas y flores en abundancia. De todos los nuevos lugares que vieron durante el viaje era el que les gustaba más, y decidieron fundar una nueva colonia galesa en el valle. Algunos solteros jóvenes se fueron al principio para construir nuevos ranchos y preparar el lugar para las familias. Luego, las familias se atrevieron a trasladarse allí, y la historia de los viajes es épica. Cruzaron cuatrocientas millas del continente por las que ninguna rueda había viajado. Cruzaron los ríos descargando y desmontando los carros, utilizando las bases como barcos para llevar todo al otro lado. Luego montaban y cargaban el carro de nuevo antes de seguir camino. Cuando llegaban a un despeñadero o un cañón, tenían que bajar todo pieza por pieza con una cuerda. Tuvieron que llevar con ellos las gallinas, los gansos, los gatos y los perros, las ovejas y las vacas y bastante harina y trigo para durar un año, además de algunos utensilios. Viajaron con regularidad y diligentemente durante seis semanas, durmiendo bajo los carros y viviendo en gran parte de la caza. Hoy en día hay una gran población mixta en

Arloeswyd llawer o sefydliadau eraill gan y Cymry yn ddiweddarach.

Blinid y sefydlwyr gan wylliaid hefyd o dro i dro. Yn ystod y flwyddyn 1878 daeth y newydd fod ffoadur o wylliad wedi cyrraedd y dyffryn, a gofynnodd Llywydd Cyngor y Wladfa i Aaron Jenkins ei gyrchu i'r ddalfa. Wrth ddychwelyd gyda'r gwylliad, plannodd hwnnw gyllell yng nghefn y Cymro, ac wedi ei gael ar lawr, ei drywanu drachefn, torri llinyn ei dafod, cymryd ei gêr a'i geffyl, a dianc. Casglwyd minteioedd i erlid y llofrudd, ac wedi dilyn ei drywydd am ddau ddiwrnod, gwelwyd ef gan un o'r bechgyn ac fe'i saethwyd. Daeth gweddill y fintai i'r fan, a thaniodd pob un ohonynt ergyd i gorff y llofrudd, rhag beio un ohonynt yn arbennig am y weithred. Adwaenir Aaron Jenkins fel 'Merthyr Cyntaf y Wladfa'.

Digwyddiad arall a achosodd gyffro mawr yn y Wladfa oedd llofruddiad Llwyd ap Iwan yn 1909. Penodwyd ef yn arolygydd masnachdy yn Nantypysgod, a dau Gymro ifanc ac un Indiad yn gweithio oddi tano. Daeth nifer o Americaniaid i odre'r Andes, prynu ransh yno a byw yn foneddigaidd a chyfeillgar ymysg y Cymry. Deuai sôn o dro i dro fod gwylliaid wedi ymosod a lladrata arian o wahanol fanciau ar hyd a lled y wlad, ond ni wyddai neb mai yr Americaniaid hyn oedd yn gyfrifol am hynny nes i gudd-swyddogion o'r Unol Daleithiau ddyfod ar eu trywydd. Diflannodd y tri arweinydd, a gadael eu gweision i gario'r busnes yn ei flaen, ond yn flerach a chreulonach na'u meistri. Un prynhawn daeth dau o'r rhain, Wilson a Bob Evans, i'r masnachdy a gofyn am weld yr arolygydd. Aethpwyd i'r tŷ i gyrchu Llwyd ap Iwan, ac wedi iddo fynd i'r siop, gofynnodd un o'r ymwelwyr a oedd yno lythyr iddo, gan dybio y buasai hynny'n esgus iddynt fynd i'r swyddfa. Pan ddywedodd yr arolygydd nad oedd yno lythyr iddo, tynnodd y ddau wylliad eu gynnau, a gorfodwyd Llwyd i fynd i'r swyddfa gyda Wilson. Rhoes y llall orchymyn i'r ddau was a'r Indiad oedd yn gweithio yno i droi eu hwynebau at y silffoedd a dal eu dwylo i fyny. Dechreuodd un o'r llanciau wylo, a gofynnodd y gwylliad iddo:

'Oes gen ti fam?'

'Oes.'

'Hoffet ti ei gweld eto?'

'Hoffwn.'

'Os felly, bydd ddistaw,' ac ychwanegodd, 'mi fydd gen ti stori dda i'w hadrodd wrthi ar ôl heddiw.'

Wedi cyrraedd y swyddfa, gorfu i Llwyd agor y sêff, ond nid oedd arian ynddi.

'Ble mae'r arian?' gofynnodd Wilson. 'Dylai fod yma hanner can mil o ddoleri i dalu am wlân.'

Gwadodd y Cymro hynny, a galwyd ef yn gelwyddgi. Tybia rhai i Llwyd golli ei dymer ac ymosod ar y llall. Yn anffodus, yr oedd wedi llosgi ei ddwylo

estas montañas, pero Cwm Hyfryd sigue galés, y los descendientes de los antiguos colonizadores valientes son dueños de granjas grandes y ricas. Siguen asisitiendo a la capilla galesa, *Bethel,* y los hijos van a caballo a la escuela. Más tarde los galeses colonizaron otras regiones.

De vez en cuando unos bandidos les molestaban a los colonizadores. Durante el año 1878 llegó la noticia de que un bandido fugado había llegado en el valle, y el presidente del consejo de la colonia pidió a Aaron Jenkins que le detuviera y le llevara a la cárcel. Cuando volvía con el bandido, él apuñaló al gales en la espalda, y cuando estaba en el suelo lo apuñaló de nuevo y cortó su lengua antes de robar sus herramientas y su caballo y fugarse. Se juntaron unos grupos armados para perseguir al asesino, y después de seguir su pista durante dos días uno de los jóvenes lo vio y lo fusiló. El resto del grupo armado les alcanzó, y cada uno disparó una bala sobre el cadáver del asesino para que no se pudiera echar a ningún individuo la culpa de matarlo. Se reconoce a Aaron Jenkins como 'el primer martiro de la colonia.'

Otro acontecimiento que provocó mucha reacción fue el asesinato de Llwyd ap Iwan en el año 1909. Fue nombrado director de la factoría en Nantypysgod, con dos galeses y un indio trabajando con él. Vinieron algunos americanos a vivir al pie de los Andes donde compraron una hacienda y vivieron amigablemente con los galeses. De vez en cuando había noticias de unos bandidos que atacaban y robaban dinero de varios bancos en el país, pero nadie sabía que eran estos americanos los responsables hasta que unos agentes secretos de los Estados Unidos los localizaron. Los tres líderes desaparecieron, y dejaron a sus auxiliares seguir con el asunto, pero eran menos hábiles y más crueles que los jefes. Una tarde, dos de ellos, Wilson y Bob Evans vinieron a la factoría y quisieron ver al director. Llamaron a Llwyd ap Iwan y cuando entró en la tienda uno de los forasteros le preguntó si tenía una carta para él, esperando que bastara como excusa para entrar en la oficina. Cuando el director dijo que no había una carta para él, los dos bandidos sacaron sus pistolas, y forzaron a Llwyd a entrar en la oficina con Wilson. El otro mandó a los dos empleados y el indio a dar la vuelta y ponerse de cara a la estantería con los manos alzados. Uno de los jóvenes empezó a llorar, y el bandido le preguntó:

'¿Tienes madre?'

'Sí.'

'¿Quieres volver a verla?'

'Sí.'

'Pues, cállate,' y añadió, 'tendrás una buena historia que contarle después de hoy.'

Cuando entraron en la oficina, le obligaron a Llwyd a abrir la caja de caudales, pero no contenía dinero.

'¿Dónde está el dinero?' le preguntó Wilson a Llwyd. 'Debería haber cincuenta mil dolares para pagar por lana.'

ychydig ddyddiau ynghynt pan ffrwydrodd lamp olew, ac oherwydd hynny fe'i trechwyd. Esboniad arall yw mai'r gwylliad a wylltiodd. P'run bynnag, clywyd sŵn lleisiau dig ac ymladd yn y swyddfa. Mae'n debyg i Llwyd afael yng ngarddwrn y llall a'i orfodi i ollwng y gwn. Llithrodd y ddau ar garped a disgyn i'r llawr, gan roi cyfle i'r gwylliad dynnu gwn arall o'i esgid uchel, a saethu'r Cymro trwy ei galon. Wedi i'r ddau wylliad helpu eu hunain i nwyddau, cyfrwyau a ffrwyni newydd, a channoedd o fwledi, aethant ymaith gan orchymyn i'r gweision sefyll oddi allan nes iddynt fynd o'r golwg.

Bu minteioedd o Gymry arfog a milwyr yn chwilio am fisoedd am y llofruddion, ond yr oedd y gwylliaid yn ddiogel yng nghanol coedwigoedd yr Andes. O'r diwedd, daethant o'u cuddfan yn y mynyddoedd a mynd i dafarn unig i yfed, gan ymffrostio yn eu clyfrwch yn osgoi'r milwyr. Aeth swyddog ifanc a phum milwr ar eu trywydd, ac wedi pum niwrnod o deithio caled, gwelsant fwg yn ymdroelli i'r awyr o bantle coediog. Gyrrwyd tri milwr yno. Saethwyd un ohonynt yn farw gan y gwylliaid, clwyfwyd un arall, ond carlamodd Pedro Rozas ymlaen gan danio ar Bob Evans. Gorweddai hwnnw tu ôl i goeden yn glwyfedig, ond daliodd i danio nes marw. Erbyn hyn yr oedd Wilson wedi ffoi nerth ei draed, ond saethodd Rozas ef yn ei fraich a'i orfodi i ollwng ei wn. Aeth y gwylliad ar ei liniau gan grefu am drugaredd, ond gofynnodd y milwr iddo: 'Ai ti yw Wilson?' A phan gafodd ateb cadarnhaol, fe'i saethodd ef yn farw, gan ddial gwaed y Cymro.

El gales lo negó, y le llamaron mentiroso. Algunos creen que Llwyd se enojó y lo atacó. Desafortunadamente, se había quemado las manos algunos días antes cuando un quinqué se había explotado, y por eso fue vencido. Otra explicación es que fue el bandido quien se enojó. De todos modos, se oyeron voces enojadas y el ruido de una pelea. Es probable que Llwyd se agarró al muñeco del bandido y le forzó a soltar la pistola. Los dos se resbalaron en una moqueta y se cayeron al suelo, dando la ocasión al bandido para sacar una pistola de su bota y herir al gales en el corazón. Después de apoderarse de las provisiones, las sillas de montar y los frenos, se alejaron ordenando a los empleados a quedarse fuera hasta que hubieran desaparecido.

Unos grupos de galeses armados buscaron a los asasinos durante meses, y más tarde fueron buscados por soldados, pero los bandidos estaban seguros en medio de los bosques de los Andes. Por fin salieron de su escondrijo en las montañas y fueron a una taberna aislada para beber, y se jactaron de su habilidad en poder eludir a los soldados. Un oficial joven y cinco soldados fueron mandados a seguirlos y después de viajar durante cinco días vieron humo subiendo en espirales desde una hondonada llena de árboles. Tres soldados fueron mandados allí. Uno fue matado a tiros por los bandidos, y otro fue herido, pero Pedro Rozas se echó a galopar disparando hacia Bob Evans. Él estaba tendido detrás de un árbol y estaba herido, pero siguió disparando hasta que murió. Wilson se había fugado lo más rápido que podía, pero Rozas le hirió a tiros en el brazo y le obligó a soltar su fusil. El bandido se cayó de rodillas y pidió clemencia, pero el soldado le preguntó a él: '¿Tú eres Wilson?' y cuando le dio una respuesta afirmativa, le fusiló, y así vengó la muerte del galés.

Cwerylon

Wrth weld y sefydliad yn llwyddo, ac oherwydd ffrae â Chile ynglŷn â meddiant Patagonia, dechreuodd Llywodraeth yr Ariannin ymyrryd yn y Wladfa. Yn anffodus, gwŷr anwybodus o'r llynges a anfonwyd i'w chynrychioli i ddechrau, a bu llawer ffrwgwd rhyngddynt a'r Cymry. Buont yn drahaus, gan drin rhai o'r sefydlwyr yn greulon, a characharwyd yr arweinwyr Cymreig ar gam droeon. Ond yr oedd ambell gynrychiolydd yn eithriad i hyn, ac un ohonynt oedd Antonio Oneto, a anfonwyd yno yn niwedd 1875. Gŵr diddorol oedd yr 'Hen Oneto', fel yr adwaenid ef gan y Cymry: gŵr syml a rhadlon, Eidalwr, a siaradai ychydig Sbaeneg a Saesneg, a'i ddiddordeb pennaf mewn seryddiaeth yn hytrach na gwleidyddiaeth. Adroddir llawer hanesyn am ei ddiniweidrwydd. Ei hoffter pennaf oedd cwmni ei gi a'i gath. Cyfansoddodd gân i'r ci, a dysgodd i'r gath ddawnsio ar y bwrdd. Un tro daeth at lan yr afon a gofyn i'r cychwr, hen Wyddel meddw, ei rwyfo drosodd i ochr arall yr afon. Cydsyniodd yntau, ond ar ganol yr afon gwrthododd rwyfo ymhellach, a bygwth dymchwel y cwch oni roddid iddo arian i brynu diod feddwol. Gwagiodd Oneto ei bocedi yn ebrwydd, ac wedi cyrraedd i'r lan, diolchodd yn ddefosiynol i'r Gwyddel am y waredigaeth. Dro arall bygythiodd y Gwyddel roi ei dŷ ar dân oni châi fwyd ganddo, a'r tro hwnnw gwagiodd Oneto ei gwpwrdd. Bu ganddo ddiddordeb mawr yn y paith, a phan ddaeth y pennaeth Kinkel ar ymweliad â'r dyffryn, gwahoddwyd ef i dŷ'r prwyad. Roedd yn rhaid cael dau gyfieithydd. Siaradai Oneto yn Saesneg, cyfieithid hynny i'r Gymraeg gan un o'r ymsefydlwyr, yna cyfieithid hynny drachefn i'r iaith frodorol gan Galech, mab y pennaeth. Ym mis Ebrill 1879 aeth Oneto ar daith ymchwil i'r paith, a bu farw yno.

Yn niwedd 1885, penodwyd Luis Jorge Fontana yn rhaglaw cyntaf y diriogaeth. Gŵr doeth a diwylliedig oedd Fontana, a bu cydweithio eithaf hapus rhyngddo ef a'r Cymry. Erbyn hyn, cafwyd hunan-lywodraeth leol, ac etholwyd cyngor lleodrol i lunio a gweinyddu'r cyfreithiau lleol. Clodforir y Cymry gan iddynt fod y rhai cyntaf i ethol cyngor lleol yn Ariannin. Cymraeg oedd iaith y drafodaeth yn y ddau gyngor a etholwyd, a dyna hefyd oedd iaith y cofnodion, ond gyda chyfieithiad Sbaeneg.

Bu ychydig annealltwriaeth ar fater yr addysg, ond bu'r Llywodraeth yn gyfrwys a doeth trwy gynnig ysgwyddo baich ariannol yr ysgolion, talu cyflog yr athrawon, a chaniatáu dysgu'r Sbaeneg drwy gyfrwng y Gymraeg. Cymaint gwell oedd hyn na'r addysg Saesneg a gafwyd yn ysgolion Cymru. Sylweddolwyd mai'r ffordd rwyddaf i ddysgu iaith newydd i blentyn oedd drwy gyfrwng ei famiaith, a chyhoeddwyd gwerslyfrau i ddysgu'r Sbaeneg

Disputas

Viendo que la colonia prosperaba, y a causa de una disputa con Chile sobre la posesión de Patagonia, el gobierno de Argentina empezó a entrometerse en la colonia. Desafortunadamente, al principio, el gobierno mandó a hombres ignorantes de la armada como sus representantes, y hubo muchas disputas. Prepotentes, trataron a algunos de los colonizadores en una manera cruel, y muchas veces encarcelaron injustamente a muchos de los líderes galeses. Sin embargo, había algunos representantes que eran excepciones, como Antonio Oneto, que fue mandado a finales de 1875. 'Hen Oneto' como los galeses lo llamaban era un hombre interesante: era un italiano sencillo y simpático, y hablaba un poco de español e inglés. Le interesaba mucho la astronomía, en vez de la política. Su mayor delicia era la compañía de su gato y su perro. Escribió una canción dedicada a su gato y enseñó a su gato a bailar sobre la mesa. Una vez vino a la orilla del río, y preguntó al barquero, que era un viejo borracho irlandés si podía llevarle al otro lado. Consintió en hacerlo pero en el centro del río se negó a seguir remando, y amenazó con volcar la barca si no le diera dinero para comprar alcohol. Inmediatamente Oneto vació el contenido de los bolsillos, y cuando llegó a la otra orilla agradeció con devoción al irlandés. En otra ocasión el irlandés amenazó con pegar fuego a la casa de Oneto si no le diera comida, y esta vez Oneto vació su armario. Le interesaba la pampa y cuando el jefe de los Kinkel visitó el valle, le invitaron a la casa del representante. Eran necesarios dos traductores. Oneto hablaba inglés que traducían al galés, que era traducido a uno de los idiomas nativos por Galech, el hijo del jefe. En abril de 1879, Oneto emprendió una exploración de la pampa, donde murió.

Hacia fines de 1885 Luis Jorge Fontana fue nombrado primer gobernador del territorio. Fontana era un hombre sabio y culto, y colaboró con bastante éxito con los galeses. Ahora la región tenía autonomía, y un consejo municipal fue elegido para hacer y administrar los reglamentos locales. Se elogió a los galeses por haber sido los primeros en elegir un consejo municipal en Argentina. El galés era el idioma de los debates en los dos consejos elegidos, y también era el idioma de las actas, pero con una traducción al español.

Hubo algunos problemas sobre la cuestión de educación, pero el gobierno estuvo astuto y acertado en ofrecer cargar con la responsabilidad económica y pagar el sueldo de los profesores y permitió enseñar el español por medio del galés. Era mejor que la educación inglesa que se ofrecía en las escuelas en Gales. Se reconoció que la mejor manera de enseñar un nuevo idioma a un niño era por medio de su idioma maternal, y libros de texto fueron publicados para enseñar español por medio del galés. Poco a poco, las escuelas cayeron en manos del gobierno y para fines del siglo el único idioma que se hablaba era el español. Es

drwy gyfrwng yr iaith Gymraeg. Yn raddol, aeth yr ysgolion i ddwylo'r Llywodraeth, ac erbyn troad y ganrif yr unig iaith a siaredid ynddynt oedd y Sbaeneg. Mae'n wir i'r Cymry sefydlu ysgol Gymraeg, ond ni chaniateid i'r plant fynychu honno cyn iddynt orffen eu cwrs yn ysgolion y Llywodraeth.

Pan ymneilltuodd Fontana, penodwyd rhaglawiaid eraill nad oeddynt cyn ddoethed, a bu llawer helynt yno yn niwedd y ganrif. Yr enwocaf o'r rhain oedd yr un a adwaenid fel 'Helynt y Drilio'. Gorchmynnwyd i bob gŵr ifanc ddilyn cwrs o ddisgyblaeth filwrol. Ni wrthwynebai'r Cymry hynny, er nad oeddynt yn hoffi i'w bechgyn gyfathrachu â dynion o safon is eu moes a'u diwylliant yn y fyddin. Yr hyn a wrthwynebent oedd y gorchymyn i ddrilio ar y Sul. Gwrthododd 60 o'r gwŷr ifainc ufuddhau, ac fe'u carcharwyd am fisoedd. Anfonwyd dau ŵr i Brydain i apelio at y Llywodraeth yn Llundain i ymyrryd yn yr helynt. Wedi hyn, bu rhai digwyddiadau annoeth yn y Wladfa, megis danfon plismon i gwrdd gweddi yn Gaiman i restio'r arweinwyr a'u rhoi mewn carchar, gan eu trin fel barbariaid anwybodus. Roedd Julio Roca, Arlywydd y Weriniaeth ar y pryd, yn ŵr doeth, ac ymwelodd â'r Cymry. Rhoesant hwythau groeso godidog iddo, a chaniataodd yntau eu holl hawliau.

Ymwelodd David Lloyd George a Herbert Lewis ag Ariannin yn ystod yr helynt hwn. Yn anffodus, ni aethant ymhellach na Buenos Aires. Yno cyfarfu'r ddau â rhaglaw'r diriogaeth ar y pryd. Dywedodd hwnnw wrthynt fod y Cymry yn bobl ddewr, urddasol a heddychol, ond ni allai ddeall rhai pethau yn eu cylch o gwbl. Ni fynnent alw eu hunain yn Saeson, ac eto ni siaradent Sbaeneg am eu bod yn ddeiliaid gwlad y Saeson! Synnai at eu brwdfrydedd ynghylch yr eisteddfod, ac ymddangosai 'ras ganu' yn rhywbeth od iawn iddo ef!

cierto que los galeses construyeron una escuela galesa, pero no se permitía a los niños asisitir a la escuela antes de terminar sus cursos en las escuelas del gobierno.

Cuando Fontana se jubiló, otros gobernadores fueron nombrados que no eran tan sabios como él, y hubo muchas disputas a fines del siglo. La disputa más famosa era 'la disputa de instrucción militar.' Todos los hombres jóvenes fueron obligados a emprender un curso de instrucción militar. Los galeses no se oponían aunque no les gustaba que los hijos se mezclaran en el ejército con hombres que tenían valores morales y culturales inferiores. Se oponían a la orden de hacer instrucción los domingos. Sesenta de los jóvenes se negaron a cumplir con la orden, y fueron encarcelados durante algunos meses. Dos hombres fueron mandados a Gran Bretaña para suplicar que el gobierno de Londres interviniera en el asunto. Luego, hubo algunos sucesos absurdos en la colonia, como cuando un policía fue mandado a una reunión de rezo en Gaiman para detener a los líderes y encarcelarlos, tratándolos como salvajes ignorantes. Pero Julio Roca que, en esa época era el presidente de la República, era una persona sabia, e intervino en el asunto, e hizo una visita a los galeses. Ellos le acogieron con entusiasmo, y el presidente les concedió todos los derechos que reclamaban.

David Lloyd George y Herbert Lewis visitaron Argentina en la época de la disputa. Desafortunadamente no fueron más allá que Buenos Aires. Allí los dos se reunieron con el hombre que era el gobernador de la región en la época. Les dijo a ellos que los galeses eran personas valientes, solemnes y pacíficas, pero no podía comprenderlos completamente. No querían llamarse ingleses, ¡pero no hablaban español porque eran súbditos del país de los ingleses! ¡Le sorprendía su entusiasmo hacia el *eisteddfod* y 'el juego de cantar' le parecía muy raro!

Y Llifogydd

Daeth trychineb mawr ar warthaf y sefydliad yn niwedd y ganrif. Bu gaeaf y flwyddyn 1899 yn llaith, gyda glaw mân yn disgyn yn gyson am wythnosau, a throes y dyffryn yn wely o laid. Cododd dŵr yr afon yn beryglus o uchel yng Ngorffennaf, llifodd dros y ceulannau yn genllif mawr yn rhan uchaf y dyffryn. Anfonwyd gwŷr ifainc ar geffylau buain i rybuddio'r trigolion, a'u hannog i ffoi i'r bryniau. Ymhen deuddydd yr oedd yr holl ddyffryn fel afon lydan, a'r llifeiriant yn rhuthro drwyddo tua'r môr. Syrthiai'r tai a nofiai'r dodrefn fel mân gychod ar wyneb y dyfroedd, a symudai ambell das wair fel llong i gyfeiriad y môr. Bu diangfâu cyfyng. Wythnos ynghynt, ganed baban i wraig y bardd Caeron, ond bu'n rhaid iddo gario'r fam a'i baban i un o'r menni, a ffoi gyda gweddill y plant drwy'r glaw a'r oerni. Nofiai'r fen a'r ceffylau ar wyneb y dyfroedd ar adegau, ac ni ellid ond dyfalu ym mhle'r oedd y pontydd dan y dŵr. O'r diwedd cyrhaeddwyd i gartref rhieni ei wraig, ond bu'n rhaid iddynt ffoi oddi yno drachefn, ac aros weddill y noson ar fryncyn oedd fel ynysig yng nghanol y dilyw, nes i gwch ddyfod i'w cludo oddi yno i'r bryniau gyda'r wawr.

Ymhen yr wythnos roedd y dyffryn fel môr, ac roedd cannoedd o bobl, yn cynnwys hen wŷr a gwragedd, plant a babanod ar chwâl dros y bryniau moel. Codwyd pebyll o ddefnyddiau prin yn gysgod rhag y glaw a'r oerwynt. Aeth y bara'n brin, a bu'n rhaid lladd rhai o'r anifeiliaid er mwyn osgoi newyn. Disgleiriai tanau'r gwersylloedd fel sêr ar y bryniau drwy oriau'r nos – doedd dim i'w glywed ond bref y praidd, crio plant bach, a sŵn y dyfroedd yn rhuthro heibio.

Lluniwyd cychod bregus, a rhwyfwyd ynddynt i weld maint y difrod. Gwelwyd bod hanner pentref Gaiman dan ddŵr, a phentref Rawson yn adfeilion. Maluriwyd dros gant o dai annedd, wyth o gapeli, pum ysgoldy, a thri llythyrdy. Drylliwyd y camlesi hefyd, a chludwyd y rhan fwyaf o'r cynhaeaf a gasglwyd y tymor cynt i'r môr. Ond nid pobl i wangalonni oedd y gwladfäwyr hyn. Anfonwyd blancedi, pebyll, a dillad atynt o'r brifddinas, tyfodd y borfa ar y paith wedi'r llifogydd a chafwyd digon o fwyd i'r anifeiliaid. Wedi misoedd o ddioddef ac ymdrechu gwrol, daeth trefn yn raddol; adeiladwyd cartrefi newydd ar lecynnau uwch, ail-agorwyd y camlesi, ac aeth bywyd yn ei flaen yn hamddenol fel cynt.

Yn ystod y deng mlynedd ddiwethaf codwyd argae fawr rhyw 60 milltir yn uwch na'r dyffryn, a chronni yno lyn anferth. Gollyngir y dŵr i lawr i'r dyffryn heddiw yn ôl yr angen a'i ddefnyddio hefyd i gynhyrchu trydan i'r dalaith. Trwy hyn gellir osgoi prinder dŵr yn ystod yr haf a llifogydd yn y gaeaf.

La inundación

Una tragedia occurió en la colonia a fines del siglo. El invierno de 1899 era húmedo, y llovió una llovizna continuamente durante muchas semanas, y el país se convirtió en baño de lodo. El río creció a un nivel peligroso en julio, y luego se desbordó en un gran torrente en la parte más alta del valle. Se mandó con tiempo a jóvenes a caballo para advertir a los habitantes y para instarles a que se refugiaran en el monte. Dentro de dos días el valle se había convertido en un río ancho, y la corriente corría rápidamente hacia el mar. Las casas se derrumbaban y los muebles flotaban como barcas en la superficie del agua, y algunos almiares se movían como barcos hacia el mar. Algunos tuvieron suerte de escapar con vida. Una semana antes, un hijo nació a la mujer del poeta Caeron, pero tuvo que llevar a la madre y el hijo a uno de los carros, y fugarse con los otros hijos en la lluvia y el frío. De vez en cuando el carro y los caballos flotaban en la superficie del agua, y sólo podía adivinar donde estaban las puentes bajo el agua. Por fin, llegó a la casa de los suegros, pero tuvieron que escaparse de allí de nuevo, y permanecerse el resto de la noche en un almiar que era como una pequeña isla en medio de la inundación, hasta que una barca llegó al alba para llevarlos al monte.

Dentro de una semana, el valle se parecía a un mar, y cientos de personas, incluyendo ancianos, mujeres, niños y críos estaban dispersos en los montes pelados. Se levantaron carpas, hechas de lo que podían descubrir, para ponerse al abrigo de la lluvia y el viento frío. El pan se fue escaseando, y tuvieron que matar a algunos de los animales para evitar el hambre. Las hogueras de los campamentos brillaban como estrellas en las colinas durante las horas de la noche, y se oían sólo los mugidos de los rebaños, los llantos de los niños y el ruido de las aguas.

Los colonizadores hicieron barcos poco fiables en que pudieron remar para ver el alcance del daño. Vieron que la mitad del pueblo de Gaiman se encontraba bajo el agua y que Rawson estaba en ruinas. Más de trescientas casas, ocho capillas, cinco escuelas y tres oficinas de correos fueron destruidas. Los canales fueron destruidos también, y la mayoría de la cosecha del año previo fue llevada al mar. Pero estos colonizadores no eran personas que perdieran la esperanza. Desde la capital les mandaron mantas, tiendas de campamento y ropa. La hierba en la pampa creció después de la lluvia, y entonces había comida para los animales. Después de sufrir meses de apuros y de hacer esfuerzos valientes, poco a poco se restableció el orden. Se construyeron casas en la tierra más alta, y los canales fueron abiertos de nuevo y la vida siguió como antes.

Durante los últimos diez años, un terraplén grande ha sido construido unas sesenta millas más arriba del valle para represar el agua. Se deja correr el agua hacia el valle cuando se lo necesita y también lo utilizan para suministrar agua a la provincia. Así se puede evitar la falta de agua durante el verano y las inundaciones en el invierno.

Newid Byd

Daeth newid graddol ond cyson i fywyd y sefydliad yn ystod yr hanner canrif diwethaf. Darfu ymfudiaeth o Gymru yn y flwyddyn 1912, a llifodd pobloedd o genhedloedd gwahanol yno. Erbyn heddiw y mae poblogaeth y dalaith tua 150,000, dim ond rhyw 20,000 ohonynt sy'n ddisgynyddion i'r Cymry, a rhyw 5,000 sy'n siarad Cymraeg ac yn cadw hen draddodiadau eu tadau yn fyw. Y mae'r rhan fwyaf o'r rhain yn byw gyda'i gilydd, un ai yn Nyffryn Camwy neu yng Nghwm Hyfryd. Trwy flerwch, ac oherwydd effeithiau'r Rhyfel Byd Cyntaf, aeth y Cwmni Cydweithredol yn fethdalwr a chollodd llawer o'r Cymry eu cyfoeth yn sgîl hynny. Aeth y capeli yn wacach a'r gweinidogion yn brinnach. Daeth y Sbaeneg yn iaith gyntaf i'r bobl ifainc, er i'r rhan fwyaf ohonynt barhau i siarad Cymraeg godidog hyd heddiw. Y mae ganddynt ddiddordeb mawr yng Nghymru a'i thraddodiadau o hyd, ond Ariannin yw eu gwlad, a rhônt eu teyrngarwch pennaf iddi. Parhânt i gynnal eisteddfodau a chyfarfodydd cystadleuol, eu cymanfaoedd a'u cyrddau pregethu, ac maent wrth eu bodd yn canu ein hen alawon a'n hemynau. Ymwelodd rhai o'r bobl ifainc hyn â Chymru yn ddiweddar, ac er eu bod o'r bedwaredd genhedlaeth yno, ac na bu neb o'u teulu yng Nghymru ers canrif, siaradent Gymraeg perffeithiach na'r eiddom ni sy'n byw yma. Hwn, efallai yw'r ffaith fwyaf syfrdanol a'r canlyniad rhyfeddaf i holl hanes y Wladfa.

Mae trigolion y wlad yn hoff iawn o'r hen arfer o gynnal te parti neu wigwyl. Trefnir y rhain yn sydyn heb ffwdan, a phawb yn dyfod â'u cyfran o fwyd i gynnal y wledd. Digwydd hyn yn arbennig ar 28 Gorffennaf, ar Ddydd Gŵyl y Glaniad. Bydd chwaraeon ar gyfer y plant yn y prynhawn, y gwŷr ifainc ar geffylau yn ymryson am gamp y sortija, ac mewn cae gerllaw bydd sŵn y gystadleuaeth saethu at y nôd. Wedi hyn, ceir gwledd yn y festri cyn cynnal y Cyfarfod Dathlu gyda'r nos. Wedi oriau o ganu ac adrodd ac annerch, bydd pawb yn troi tuag adref yn hapus, rhai mewn moduron, eraill mewn trap-a-cheffyl, a'r bobl ifainc yn carlamu ar eu ceffylau dan ganu alawon gwerin Cymru ac Ariannin. Yn ddiweddar mae Llywodraeth y Dalaith wedi deddfu cynnal y diwrnod arbennig hwn bob blwyddyn fel gŵyl genedlaethol, a hynny fel teyrnged i'r arloeswyr o Gymru.

Dro arall, dethlir gŵyl drwy gynnal asado. Rhostir eidion yn yr awyr agored uwch tân coed yn null yr Indiaid, ac yna bwyteir tafellau o'r cig mwyaf blasus rhwng bara a chyda gwin yn null traddodiadol yr Ariannin.

Erys yr hen hamdden yno – yr amaethwyr yn gweithio wrth eu pwysau heb ormes cloc na meistr, yn cymryd eu siesta pan fo'r gwres yn llethol yn y prynhawn, ac yn casglu'r cynhaeaf o'r meysydd pan ddêl awel o'r môr gyda'r hwyr. Maent yn bobl gyfeillgar eithriadol, ac nid oes pall ar eu cymwynasau

Nuevo concepto de la vida

Un cambio gradual pero constante ha ocurrido en la vida de la colonia durante el último medio siglo. La emigración desde Gales terminó en el año 1912, y gente de otros países se ha mudado hacia allí. Ahora la población de la provincia son unos 150,000, y sólo 20,000 de ellos son descendientes de los galeses, y de ellos unos 5,000 hablan galés y conservan las tradiciones de sus padres. La mayoría de ellos viven juntos, o en el valle de Camwy o en Cwm Hyfryd. Por descuido, y, a causa de los efectos de la Segunda Guerra Mundial, la Compañía Mercantil Cooperativa quebró, y muchos de los galeses perdieron sus fortunas como consecuencia. Las capillas se iban vaciando y los pastores se iban poniendo más escasos. El español ha llegado a ser el primer idioma de los jóvenes aunque la mayoría de ellos siguen hablando galés perfectamente. Les interesan mucho Gales y sus tradiciones, pero Argentina es su país y su mayor lealtad es a Argentina. Siguen celebrando los *eisteddfod* y reúniones de competencia, festivales de cantar y de predicar, y les gusta mucho cantar nuestros antiguos canciones e himnos. Recientemente algunos de estos jóvenes han visitado Gales, y aunque son de la cuarta generación de galeses, y que nadie de sus familias han visitado Gales durante un siglo hablaban un galés mejor de lo que hablamos nosotros que vivimos aquí. Eso es el hecho más sorprendente y el resultado más extraño de toda la historia de la colonia.

Les gusta mucho la antigua tradición de celebrar tertulias y merendar en el campo. Se organizan estos actos con poca antelación y sin ceremonias, y todo el mundo contribuye a la comida. En particular se celebran estas fiestas los 28 de julio, que es la fiesta del Desembarco. Por la tarde hay deportes para los niños y, los jóvenes a caballo hacen competencia por la sortija, y en el campo de al lado se oye el ruido del certamen de tiro al blanco. Luego hay un banquete en la sacristía antes del concierto de celebración por la noche. Después de muchas horas de cantar, recitar y hacer discursos todos vuelven a casa muy contentos, algunos en coche, otros en tartanas y los jóvenes cabalgan a caballo cantando las canciones folklóricas de Gales y de Argentina. Últimamente el gobierno de la provincia decretó este día especial una fiesta nacional para rendir homenaje a los colonizadores de Gales.

Otras veces se celebran fiestas ofreciendo un asado. Se asa un buey al aire libre sobre una hoguera de leña como hacen los indios, y luego se come la carne rica con pan y vino como se hace tradicionalmente en Argentina.

La vida tranquila sigue; los granjeros trabajan como quieran sin la opresión del reloj y los amos. Duermen la siesta cuando hace demasiado calor por las tardes, y recogen la cosecha de los prados cuando las brisas del atardecer llegan desde el mar. Son personas muy amables, y su bondad y su hospitalidad no tienen

a'u lletygarwch.

Cawn gyfle eleni i dalu teyrnged i'r arloeswyr hyn. Gall Cymru ymfalchïo iddi genhedlu cystal gwroniaid, ac ni chafodd yr Ariannin erioed cystal arloeswyr. Nid yn unig bu iddynt eu haddasu eu hunain i'r amgylchiadau newydd â dawn arbennig, ond hefyd drwy eu hymlyniad wrth iaith a thraddodiadau Cymru plannwyd gwareiddiad newydd yn Neheudir America. Bydd ein teyrnged yn galondid i'r miloedd sy'n dal i siarad ein hiaith a chadw ein traddodiadau'n fyw ym mhellafoedd byd, a bydd cofio am eu gwrhydri yn ysbrydiaeth i'r miloedd sy'n brwydro i warchod yr un trysorau yng Nghymru ei hun.

límites.

Este año tenemos la oportunidad de rendir homenaje a estos pioneros. Gales puede estar orgulloso de haber producido gente tan valiente, y Argentina nunca ha tenido pioneros tan buenos. No sólo se adaptaron al nuevo ambiente con una habilidad especial, sino también, gracias a su fealdad al idioma y a las tradiciones de Gales, una nueva civilización se estableció en Sudamérica. Nuestro homenaje dará alimento a los miles que siguen hablando nuestro idioma y conservando nuestras tradiciones en las regiones más lejanas del mundo, y acordándose de su valentía inspirará a los miles que luchan por proteger los mismos tesoros en Gales.

1965-1999

Ym mis Hydref 1965 llogwyd awyren i gludo tua 70 o Gymry o Lundain i Ariannin i ddathlu canmlwyddiant sefydlu'r Wladfa Gymreig ym Mhatagonia. Hwn oedd y tro cyntaf erioed i daith o'r fath gael ei threfnu ac yr oedd i barhau am dair wythnos. Roedd amryw o'r 'pererinion' fel y gelwid hwy, yn gynrychiolwyr sefydliadau Cymreig, eraill yn unigolion a chanddynt gysylltiadau teuluol â'r Wladfa. Rhoddodd llywodraeth Prydain ac Ariannin sêl eu bendith ar y dathlu – yn wir estynnodd Arlywydd Ariannin a'r Llysgennad Prydeinig groeso swyddogol i'r ymwelwyr yn Bueons Aires.

Syfrdanwyd y fintai gan wres croeso'r Gwladfawyr yn y Dyffryn. Cynhaliwyd llu o giniawau swyddogol, cymanfaoedd canu, gwasanaethau crefyddol, a chyngherddau, a dadorchuddiwyd sawl cofeb. Mawr oedd y croeso answyddogol hefyd, a chafodd y Cymry brofi peth o fywyd traddodiadol Ariannin – ei dawnsfeydd a'i chanu gwerin a'r asados. Uchafbwynt y dathlu oedd Eisteddfod y Wladfa a adnewyddwyd wedi bwlch o 38 mlynedd. Yr oedd Neuadd Dewi Sant yn Nhrelew dan ei sang ac ni ddaeth y cystadlu i ben hyd hanner awr wedi pedwar y bore.

Bu llawer o ddathlu yng Nghymru hefyd. Gwahoddwyd wyth o bobl ifainc i dreulio misoedd haf 1965 yn yr Hen Wlad. Cawsant hwythau groeso tywysogaidd ac yr oedd rhaglen lawn o weithgareddau wedi ei threfnu ar eu cyfer – yn Llundain a Lerpwl, yn ogystal ag yng Nghymru. Gwnaeth y wasg Gymreig yn fawr o'r stori ac ymddangosai adroddiadau am y dathlu yng Nghymru a hynt y 'pererinion' yn Ariannin yn ddyddiol yn y papurau newydd Cymreig.

Nid pawb, fodd bynnag, oedd mor gefnogol. Ysgrifennodd Bobi Jones erthygl yn *Barn* yn dwyn y teitl 'Ffars Patagonia'. Fel hyn y mae'r erthygl yn dechrau. 'Braidd yn afreal fu'r dathlu Patagonaidd yng Nghymru eleni. Bu llawer yn y'u twyllo eu hunain fod yr ymfudiad wedi bod yn llwyddiant, mai braf yw meddwl fod rhyw wlad egsotig y tu hwnt i'r cyhydedd lle pregethir yn Gymraeg, fod yna ryw fath o ddyfodol i Gymreictod dan gysgod yr Andes. Hynny yw, fe'n twyllwn ein hun fod yr ymfudiad yn werth sylwi arno, fod iddo ryw bwys hanesyddol, a chwyddwn y peth i ymddangos yn elfen arwyddocaol yn ein bywyd cenedlaethol.'

Bid a fo am hynny, bu'r dathlu yn fendith i Gymry Patagonia. Cydnabu eu llywodraeth yn gyhoeddus ddewrder y gwladychwyr cyntaf a chyfraniad arwrol y Cymry i dalaith yr oedd iddi bosibiliadau economaidd gwych. Yn bennaf oll cydnabuwyd cyfraniad diwylliannol y Cymry i fywyd y dalaith. O ganlyniad cynyddodd hunan-barch y Cymry ac edmygid hwy gan fewnfudwyr

1965-1999

En octubre de 1965 un avión fue alquilado para llevar a 70 galeses desde Londres a Argentina para celebrar el centenario del establecimiento de la colonia galesa en Patagonia. Fue la primera vez que se organizó tal viaje e iba a durar tres semanas. Muchos de los 'peregrinos' como se los llamaba representaban organizaciones galesas, mientras otros eran individuos que tenían relaciones familiares con la colonia. Los gobiernos de Argentina y Gran Bretaña aprobaron las celebraciones – los viajeros fueron recibidos oficialmente en Buenos Aires por el presidente y el embajador británico.

El grupo se sorprendió del fervor con que fueron recibidos por los colonizadores en el valle. Hubo muchas cenas oficiales, reúniones de cantar, cultos religiosos y conciertos, y muchos monumentos conmemorativos fueron inaugurados. La recepción no oficial fue calurosa también y los galeses pudieron probar un poco de la vida tradicional de Argentina – los bailes y las canciones tradicionales y los asados. El momento culminante del viaje fue el *eisteddfod* de la colonia que fue celebrado por la primera vez en 38 años. La sala de Dewi Sant en Trelew estaba llena y los concursos no terminaron hasta las 4.30 de la mañana.

Hubo muchas celebraciones en Gales también. Ocho jóvenes fueron invitados a pasar el verano de 1965 en la patria. Ellos también fueron recibidos calurosamente y tenían un programa lleno de actividades organizadas para ellos – en Liverpool y Londres, además de Gales. La prensa galesa sacó todo el provecho posible de los sucesos y aparecieron reportajes diariamente en los periódicos galeses sobre las celebraciones en Gales y lo que hacían los peregrinos en Argentina.

Sin embargo, todo el mundo no se entusmiasaba por el viaje. Bobi Jones escribió un artículo en *Barn* que llevaba el título 'la farsa de Patagonia'. El artículo empieza: 'las celebraciones patagónicas este año en Gales han sido bastante irreales. Muchos se han engañado, dejándose convencer de que la inmigración fuera un éxito. Da gusto pensar en un país exótico más allá del ecuador donde se predica en galés, y que la vida galesa tiene un futuro bajo los Andes. Es decir, nos engañamos de que la inmigración tenga importancia, y que tenga importancia histórica y lo exageramos, hasta que parece ser un elemento importante en nuestra vida nacional.'

Diga lo que diga, las celebraciones ayudaron a los galeses de Patagonia. Su gobierno reconoció en público la valentía de los primeros pioneros, y la contribución de los galeses a la provincia que tenía buenas posibilidades económicas. Más que nada, la contribución cultural de los galeses a la vida de la provincia fue reconocida. Por consiguiente, el amor propio de los galeses creció y les respetaban los inmigrantes de los otros países que se habían mudado a la

o wledydd eraill a oedd wedi ymsefydlu yn yr ardal.

Erbyn y 1970au yr oedd miloedd o bobl o bob tras wedi symud i fyw i Drelew, a thyfodd yn ddinas anferth. Tueddai llawer o'r bobl ifainc o dras Gymreig geisio gwella'u byd trwy ymfudo o gefn gwlad i'r trefi; anghofient eu cefndir Cymreig a'u hiaith ac yn ddieithriad priodent Archentwyr. Yr oedd y Gymraeg yn prysur ddod yn iaith hen bobl. Gyda phrinder gweinidogion Cymraeg daeth trai ar grefydd a denodd enwadau megis y Pabyddion, y Mormoniaid a chenhadon Methodistaidd o'r Unol Daleithiau lawer o aelodau'r capeli Cymraeg ac wrth reswm, cynhelid y gwasanaethau trwy gyfrwng y Sbaeneg. Pwysleisiai'r Gwladfawyr eu bod yn disgwyl am arweiniad diwylliannol o Gymru. Yn 1975 ym Mhrydain, cyhoeddwyd erthygl yn y papur Sul *The Observer* yn dwyn y teitl '*Welsh Valley Dies in Argentina*' a blwyddyn yn ddiweddarach ysgrifennodd Gareth Alban Davies am 'drist orymdaith dadfeiliaid y Wladfa'.

Er hyn, roedd rhai unigolion brwd yn y Wladfa yn dal i geisio cynnal y fflam. Yr oedd cryn fri o hyd ar Eisteddfod (ddwyieithog) y Wladfa. Dethlid Gŵyl y Glaniad gyda brwdfrydedd ar yr wythfed ar hugain o Orffennaf bob blwyddyn ac roedd y papur newydd Cymraeg, *Y Drafod*, yn dal i ymddangos. Yr oedd y dalaith yn llwyddo yn economaidd. Roedd yn gyfoethog ei holew a'i mwynau, a chan fod ei hinsawdd yn ddymunol o'i chymharu â gogledd Ariannin gwnaethpwyd ymdrechion llwyddiannus i ddatblygu twristiaeth. Llwyddodd yr argae mawr a agorwyd 70 milltir o Drelew yn 1962 i reoli llif afon Camwy. Er hyn, ni rhagwelodd neb y buasai ei adeiladu yn peri i'r halen godi o'r tir gan droi llawer o gaeau ir a ffrwythlon y Dyffryn yn erwau o sychdir crin heb flewyn o wair yn tyfu arnynt.

Parhaodd y diddordeb yn y Wladfa yng Nghymru. Darlledwyd nifer o raglenni am y dalaith ar y radio a'r teledu a cheid cystadlu brwd bob blwyddyn yng nghystadleuaeth yr Eisteddfod Genedlaethol i drigolion y Wladfa. Yr oedd Cymdeithas Cymru-Ariannin yn hybu'r cysylltiad yn ddiwyd, yn ddolen gyswllt i'r Gwladfawyr pan oeddynt yn ymweld â Chymru ac yn cydweithio â Choleg Harlech i noddi'r myfyrwyr a ddeuai draw o Ariannin ar ysgoloriaeth i dreulio blwyddyn yn y coleg yn dysgu Cymraeg. Yn ystod y 1970au dechreuodd minteioedd o Gymry fynd allan yno ar wyliau a chael croeso brwd a llwyr ymserchu yn y wlad a'i phobl.

Er hyn, edwiniai'r iaith ymysg pobl ifainc. Yn niwedd y 1980au aeth athrawon ail-iaith profiadol a dawnus allan yn wirfoddol a dechrau dosbarthiadau dysgu Cymraeg. Pery gwirfoddolwyr o Gymru i wneud cyfraniad aruthrol i fywyd Cymreig y Wladfa. Dechreuodd gweinidogion o Gymru fynd allan am gyfnodau sylweddol ac wrth i drigolion Cymru a'r Wladfa wella eu byd cynyddodd yr ymwelwyr rhwng y ddwy wlad, yn gorau, yn finteioedd ac yn unigolion.

región.

Para los años 1970, miles de personas de distintas razas se habían mudado a Trelew y llegó a ser una ciudad enorme. Los jóvenes de raza galesa tendían a intentar mejorar el nivel de vida mudándose del campo a las ciudades; se olvidaban de sus antecedentes galeses y el idioma, y la mayoría se casaban con argentinos. El galés llegaba a ser el idioma de los ancianos. Con la falta de pastores galeses la religión llegaba a ser menos importante, y las denominaciones como los católicos, los mormones y los misioneros metodistas de los Estados Unidos atraían a muchos miembros de las capillas galesas y, por supuesto, se celebraban los cultos en español. Los colonizadores afirmaban necesitar la orientación cultural desde Gales. En Gran Bretaña en 1975 se publicó un artículo con el título 'Un valle galés muere en Argentina' en el periódico dominical *The Observer*, y un año más tarde Gareth Alban Davies escribió sobre 'El camino triste de la decadencia de la colonia'.

Sin embargo había otros individuos que se apasionaban por la cultura galesa en la colonia, y que no se daban por vencidos. El *eisteddfod* (bilingüe) de la colonia era todavía importante, y los 28 de julio se celebraba el festival del desembarco con pasión, y el periódico galés *'Y Drafod'* seguía apareciendo. En lo económico la provincia prosperaba. Abundaban el petróleo y los minerales, y dado que el clima era agradable en comparación con el clima del norte de Argentina se esforzó para desarrollar el turismo. Aunque la presa grande que se abrió en 1962, a unos 70 millas de Trelew, y que fue mostrada con mucho orgullo a 'los peregrinos,' pudo regular el corriente del río Camwy, nadie había previsto que haría subir la sal de la tierra convirtiendo a muchos campos verdes y fértiles en hectareas de tierra seca sin hierba.

En Gales el interés en la colonia continuó. Muchos programas sobre la colonia fueron emitidos en la radio y la televisión, y había participantes cada año en el concurso para los colonizadores en el Eisteddfod Nacional de Gales. La sociedad de Gales-Argentina trabajaba para fomentar los lazos, y ayudaba a los colonizadores cuando visitaban Gales, y cooperaban con *Coleg Harlech* para patrocinar a los estudiantes que venían desde Argentina con una beca para pasar un año en el colegio donde aprendían galés. Durante los años setenta, unos grupos de galeses empezaron a pasar las vacaciones en la colonia y fueron recibidos con mucha pasión y les encantaron el país y sus habitantes.

Sin embargo, entre los jóvenes, el idioma seguía declinando. Luego, profesores de galés como segundo idioma, con mucha experiencia, fueron a la colonia voluntariamente a finales de los años ochenta, y empezaron a dar clases de galés, y los voluntarios de Gales siguen enriqueciendo la vida galesa de la colonia. Unos pastores empezaron a pasar épocas largas en la colonia, y como las circunstancias de los galeses y los de la colonia empezaran a mejorar, el número de visitantes entre los dos países empezó a aumentar. Iban en coros, grupos o

Yn 1995, trefnodd llywodraeth Prydain ymgyrch farchnata i Buenos Aires ac ymwelodd yr Ysgrifennydd Gwladol dros Faterion Cymreig, Rod Richards, â'r Dyffryn. Cafodd gwrdd â Chymdeithas Dewi Sant yn Nhrelew ac ymwelodd â Choleg Camwy yn Gaiman. O ganlyniad trefnodd y Swyddfa Gymreig gynllun tair blynedd – i'w weinyddu gan y Cyngor Prydeinig – i atgyfnerthu dysgu Cymraeg yn Chubut. Y bwriad oedd i dri o athrawon ifainc Cymru dreulio blwyddyn yn cael y profiad gwerthfawr o ddysgu Cymraeg fel ail iaith yn y Wladfa. Ar yr un pryd trefnwyd bod chwech o bobl ifainc o'r Wladfa yn mynychu Cwrs Dwys Dysgu Cymraeg yng Ngholeg Prifysgol Llanbedr Pont Steffan (yr oedd nifer o fyfyrwyr o'r Wladfa wedi bod yn dilyn y cwrs hwn er 1993) a chwech arall i fynychu Cwrs Tiwtoriaid yng Nghaerdydd ac yng Ngholeg y Drindod, Caerfyrddin. Y nod oedd rhoi sail ffurfiol i'r dysgu yn y Wladfa a hyfforddi'r Gwladfawyr i fod yn diwtoriaid i ddysgu Cymraeg fel ail iaith a'u galluogi maes o law i fod yn hunangynhaliol. Bu'r cynllun yn llwyddiant. Yn 1998 roedd dosbarthiadau dysgu Cymraeg yn cael eu cynnal yn Nhrelew, Gaiman a'r Andes ac yr oedd galw taer amdanynt mewn trefi y tu hwnt i'r Dyffryn – Sarmiento a Comodoro Rivadavia. Yr oedd dwy ysgol yn Gaiman yn dysgu Cymraeg fel pwnc am y tro cyntaf ers canrif – dewisodd 28 allan o ddosbarth o 31 astudio'r Gymraeg fel ail iaith yn hytrach na'r Ffrangeg, a'r rhan fwyaf ohonynt heb unrhyw gysylltiad â Chymru. Sefydlwyd ysgolion meithrin yn Gaiman a Threlew a cheisiwyd sefydlu un yn Esquel. Bellach mae'r tiwtoriaid lleol (nifer ohonynt yn gweithio yn ddi-dâl a rhai ohonynt o dras di-Gymraeg) wedi cynyddu o chwech i 11. Dros gyfnod o dair blynedd, amcangyfrifir bod dros 700 o oedolion, ieuenctid a phlant wedi mynychu dosbarthiadau Cymraeg ac mae eu hathrawon wedi rhyfeddu at eu brwdfrydedd a chyflymder y dysgu. Adnewyddodd y Cynulliad y nawdd am gyfnod pellach er mwyn sicrhau seiliau cadarn i'r cynllun.

Er mwyn rhoi cyfle i'r dysgwyr ymarfer a phontio rhwng y dosbarth a'r gymdeithas trefnwyd peth wmbreth o weithgarwch cymdeithasol. Daw hyn â'r Cymry a'r dysgwyr – sydd ar wasgar mewn tref fawr fel Trelew – at ei gilydd a rhydd fywyd newydd i gymuned fwy ynysig godre'r Andes. Bob blwyddyn daw corau o bob rhan o Ariannin i gystadlu yn yr Eisteddfod yn Nhrelew a phery Gorsedd y Wladfa i gynnal seremoni gadeirio yn yr Eisteddfod, ac mae'n cynnal trafodaethau ar hyn o bryd â Bwrdd yr Orsedd mewn ymgais i ffurfioli ei pherthynas â Gorsedd Beirdd Ynys Prydain. Mae'r tango yn cymryd ei lle yn naturiol ar y llwyfan ochr yn ochr â'r Ddawns Flodau.

Cynhelir eisteddfodau eraill llai a chyrddau cystadleuol yn Nhrelew, Gaiman a Threvelin.

Mae'r Cylch Llenyddol a sefydlwyd yn 1994 yn Nhrelew a Gaiman yn

como individuos.

Luego, en 1995, el gobierno británico organizó una campaña comercial en Buenos Aires, y mientras estaba en la capital, el ministro para Gales, Rod Richards, visitó el valle. Pudo reunirse con *Cymdeithas Dewi Sant* en Trelew y visitó *Coleg Camwy* en Gaiman. Como resultado, el ministerio de Gales organizó un plan de tres años – dirigido por el Consejo Británico – para apoyar la enseñanza de galés en Chubut. Tres profesores jóvenes de Gales iban a tener la importante oportunidad de pasar un año enseñando galés como segundo idioma en la colonia. Al mismo tiempo, se dispuso que seis jóvenes de la colonia asistieran al curso intensivo de galés en la universidad de Lampeter (muchos estudiantes han asistido al curso desde 1993). Otros seis estudiantes podían asistir al curso para profesores en Trinity College de Carmarthen. El propósito era establecer una base formal para la enseñanza de galés en la colonia y formar entre los colonizadores profesores... de galés como segundo idioma, y permitirlos ser independientes en el futuro.

El plan tuvo éxito. En 1998 había clases de galés en Trelew, Gaiman y los Andes y había muchas demanda para clases en pueblos fuera del valle – Sarmiento y Comodoro Rivadavia. Dos esculeas en Gaiman enseñaban el galés como asignatura por la primera vez en un siglo – 28 de una clase de 31 habían elegido estudiar galés como segundo idioma, en lugar de francés, y la mayoría no tenían lazos con Gales. Se fundaron jardines de infantes en Gaiman y Trelew y se intentó establecer uno en Esquel. Hoy, el número de profesores locales (muchos de ellos trabajan sin sueldo y algunos no son de raza galesa) ha aumentado de seis a once. Durante tres años 700 adultos, jóvenes y niños habrán asistido a clases de galés y sus profesores se sorprenden por el entusiasmo y la rápidez en que aprenden. La Asamblea de Gales ha extendido la ayuda para más tiempo, para asegurar una base firme al plan.

Para darles a los alumnos la posibilidad de practicar el galés, y para tender un puente entre las experiencias de la clase y la sociedad, se han organizado muchas actividades sociales. Las actividades establecen contacto entre los galeses y los que están aprendiendo, ya que muchos de ellos viven muy repartidos en civdades como Trelew, y da nuevo aliento a las comunidades apartadas al pie de los Andes. Cada año los coros de todas partes de Argentina se juntan para competir en el *Eisteddfod* en Trelew. El *Gorsedd* (una sociedad de poetas) de la colonia sigue celebrando la ceremonia de decretar la silla en el *Eisteddfod* (el mejor poeta de un *eisteddfod* gana una silla especial) y está hablando con la junta directiva del *Gorsedd* en Gales para intentar formalizar las relaciones con *Gorsedd Beirdd Ynys Prydain* (el *Gorsedd* de los poetas de la Isla Británica, que es una sociedad de poetas que escriben poesia en los idiomas celtas). Se baila el tango junto al baile de las flores.

También hay *eisteddfod* más pequeños y reuniones de concursos en Trelew,

parhau ac mae'n gam pwysig i siaradwyr naturiol gan na chawsant gyfle i gael addysg ffurfiol yn y Gymraeg na dysgu am ein llenyddiaeth.

Mae ysgoloriaeth arall wedi deillio o ymweliad cynrychiolwyr y Swyddfa Gymreig ag Ariannin sy'n galluogi unigolyn o'r Wladfa i astudio gwyddoniaeth am flwyddyn ym Mhrydain, ac mae Cronfa Canmlwyddiant y Wladfa hefyd yn trefnu ysgoloriaeth yn flynyddol mewn gwahanol feysydd.

Profiad rhyfedd, mewn lle mor Lladinaidd ei ffordd â Gaiman, yw gweld enwau Cymraeg ar rai o'r siopau a'r Tai Te sy'n britho'r dref. Daeth y Gymraeg yn ffasiynol ymhlith yr ifainc, ond ail iaith ydyw i'r mwyafrif, ac nid yw'r rhan fwyaf ohonynt, mwy na mwyafrif disgyblion ein hysgolion Cymraeg yng Nghymru, yn cael cyfle i'w siarad gartref. Archentwyr ydynt, a charant eu gwlad yn angerddol. Y mae'n rhyfeddod na wireddwyd darogan trist R. Bryn Williams yn 1962 y 'derfydd y Gymraeg fel iaith ymddiddan ymhen chwarter canrif' – diolch i ddycnwch y Gwladfawyr eu hunain yn ogystal â cymorth a'r gefnogaeth a estynnwyd iddynt o Gymru.

Gaiman y Trevelin.

El círculo literario que se estableció en 1994 en Trelew y Gaiman sigue, y es un paso importante para los habladores naturales que no tuvieron la oportunidad de recibir una educación convencional en galés ni informarse sobre nuestra literatura.

Como resultado de un viaje a Argentina por un representante de la Secretaría de Gales, se ha establecido otra beca que le permite a una persona domiciliada en la colonia estudiar las ciencias en Gran Bretaña para un año. El fondo del centenario de la colonia también organiza becas cada año en otras esferas.

Es una experiencia muy curiosa, en un lugar tan latino como Gaiman, ver tantas tiendas y salones de té con nombres galeses. El galés ha llegado a estar de moda entre los jóvenes, pero es el segundo idioma de la mayoría de ellos. La mayoría, como la mayoría de los alumnos de los colegios galeses en Gales no tienen la oportunidad de hablar galés en casa. Son argentinos, y quieren a su país con pasión. Pero es sorprendente que la profecía triste de 1962 'que el galés dejará de ser el idioma de conversaciones dentro de un cuarto de siglo' no haya sido realizada – gracias a la diligencia de los colonizadores, y la ayuda, y el apoyo que les fueron mostrados por Gales.

Rhai llyfrau Cymraeg am y Wladfa a gyhoeddwyd er 1962.

Y Wladfa, R. Bryn Williams, (Gwasg Prifysgol Cymru, 1962).
Tan tro nesaf: darlun o Wladfa Gymreig Patagonia, Gareth Alban Davies (Gomer 1976).
'Gyfaill hoff': detholiad o lythyrau Eluned Morgan, WRP George (Gomer 1972).
Pethau Patagonia, Fred Green (Cyhoeddiadau Mei 1984).
Crwydro Gorff a Meddwl, Norah Isaac (Christopher Davies 1983).
Nel Fach y Bwcs, Marged Jones (Gomer 1992, 1995).
Ffarwel Archentina, Marged Jones (Gomer 1995).
Atgofion am y Wladfa, Valmai Jones (Gomer 1985).
Yr Hirdaith, Elvey McDonald (Gomer, 1999).
Byw ym Mhatagonia gol. Guto Roberts a Marian Elias Roberts. (Gwasg Gwynedd, 1993).
Er serchog gof, casgliad o arysgrifau o fynwentydd y Wladfa Cathrin Williams (Gwasg Gee, 1997).
Haul ac Awyr Las: blwyddyn yn y Wladfa, Cathrin Williams (Gwasg Gee, 1993).
Beth mae nhw'n ei fwyta? Gol/Cathrin Williams (Cymdeithas Cymru-Ariannin).
Y Teithiwr Talog 1 – 'Bodio i Batagonia', Bethan Gwanas, Gol: Gwyn Erfyl (Gwasg Carreg Gwalch 1998).
Y Teithiwr Talog 2 – 'Yn ôl i Batagonia', Eluned Haf Wigley, Gol: Gwyn Erfyl (Gwasg Carreg Gwalch 1999).
Eldorado, Iwan Llwyd a Twm Morys (Gwasg Carreg Gwalch 1999).

Gwefannau
Mae gwefan Gwesty Tywi yn Gaiman yn llawn o wybodaeth:
http:www.advance.com.ar/usuarios/gwestywi

Mae gwefan arall gan Trelew:
http://trelew.com.ar/plchubut.html

a Phorth Madryn:
http://madryn.com/english.htm

Mae manylion cynllun y Cyngor Prydeinig ar eu tudalen:
http://britcoun.org/argentina/argwlp/html

Algunos libros en galés sobre la colonia han sido publicados desde 1962.

Y Wladfa, R. Bryn Williams, (Gwasg Prifysgol Cymru, 1962).
Tan tro nesaf: darlun o Wladfa Gymreig Patagonia, Gareth Alban Davies (Gomer 1976).
'Gyfaill hoff': *detholiad o lythyrau Eluned Morgan*, WRP George (Gomer 1972).
Pethau Patagonia, Fred Green (Cyhoeddiadau Mei 1984).
Crwydro Gorff a Meddwl, Norah Isaac (Christopher Davies 1983).
Nel Fach y Bwcs, Marged Jones (Gomer 1992, 1995).
Ffarwel Archentina, Marged Jones (Gomer 1995).
Atgofion am y Wladfa, Valmai Jones (Gomer 1985).
Yr Hirdaith, Elvey McDonald (Gomer, 1999).
Byw ym Mhatagonia ed. Guto Roberts a Marian Elias Roberts. (Gwasg Gwynedd, 1993).
Er serchog gof, casgliad o arysgrifau o fynwentydd y Wladfa, Cathrin Williams (Gwasg Gee, 1997).
Haul ac Awyr Las: blwyddyn yn y Wladfa, Cathrin Williams (Gwasg Gee, 1993).
Beth mae nhw'n ei fwyta? Gol/Cathrin Williams (Cymdeithas Cymru-Ariannin, 1994).
Y Teithiwr Talog 1 – 'Bodio i Batagonia', Bethan Gwanas, ed: Gwyn Erfyl (Gwasg Carreg Gwalch 1998).
Y Teithiwr Talog 2 – 'Yn ôl i Batagonia', Eluned Haf Wigley, ed: Gwyn Erfyl (Gwasg Carreg Gwalch 1999).
Eldorado, Iwan Llwyd y Twm Morys (Gwasg Carreg Gwalch 1999).

Direcciones de correo electrónico

Gwesty Tywi en Gaiman tiene una página de red que está llena de información:
http:www.advance.com.ar/usuarios/gwestywi

Trelwe tiene otra página de red:
http://trelew.com.ar/plchubut.html

y Puerto Madryn:
http://madryn.com/english.htm

Los datos del plan del Consejo Británcio están en su página:
http://britcoun.org/argentina/argwlp/html

THE WELSH COLONY IN PATAGONIA
1865 – 1965

(First published in 1965 as part of the centenary celebrations.)

The First Emigrants

One hundred years ago, a small sailing ship, the *Mimosa*, was moored to the landing-stage at Pier Head in Liverpool. During the previous twelve years she had been carrying tea from China, but had now been refitted to carry passengers by nailing planks along the sides of the hold to serve as shelves upon which women and children could sleep. A rickety ladder led to the confined deck above. The ship was a small 447 tons tea clipper, one-twentieth the size of a modern cargo ship, and about one-two-hundredth the size of a modern liner. Her overall length was only 48 meters, about the length of two buses, and her width was about half that of a bus.

A large group of Welsh people had assembled on the landing-stage, and amongst them was a party of 162 men, women, and children, who were going to venture across seven thousand miles of ocean to establish a new Wales at the other end of the world. These emigrants had come together from various parts of Wales, forty of them from Mountain Ash. About fifty of the group were women and twenty-four were children. They boarded the ship, leaving the others on the landing-stage waving their handkerchiefs and wishing them luck. Amongst those left on the landing-stage was an eminent man, the Reverend Michael D. Jones, Principal of the Congregational College in Bala. He was a middle-aged, well-built man, clad in a suit of homespun tweed. By his side stood his wife, who had already spent £2,500 of her money in hiring and refitting the ship. Twice this amount of her fortune was to be spent on the venture before she died, a large sum in those days.

The flag of the Welsh Dragon was hoisted to the masthead, and they all sang the following verse:

Ni gawsom wlad sydd well
Yn y Deheudir pell,
  Patagonia yw:
Cawn yno fyw mewn hedd,
Heb ofni brad na chledd,
A Chymro ar y sedd:
  Boed mawl i Dduw.

(We have found a better land in the far South. It is Patagonia. We will live

there in peace, without fear of treachery or war, and a Welshman on the throne. Praise be to God.)

The ship moved to the middle of the river, where she remained at anchor for three days, before sailing out to sea, on 28 May 1865, on one of the strangest voyages ever.

It was not unusual for a ship such as this to carry a party of Welsh people to a foreign land. For over a century Welshmen had been going to every part of the earth. Many from the rural areas went to South Wales, where the coal mines and other industries offered them a better living. They flocked to large towns in England, such as Liverpool, Manchester, and London. It is said that a hundred thousand Welshmen were living in London a century and a half ago. Thousands of Welshmen sailed to new countries like Australia, New Zealand, and Africa, but the majority went to the United States of America.

They had many reasons for leaving their country. One reason was oppression. Most of their landlords were anglicized and alien, and they left their English stewards to deal with their Welsh tenants. If any tenants went to worship in their own Nonconformist chapels rather than to the Anglican church, the rents of their small hill farms were raised as punishment. If a farmer improved his farm through sweat and sacrifice he, also, was punished by having his rent increased. At the time of an election, each tenant was expected to vote for his landlord, and if he dared refuse on principle, then he would have his rent raised, or be turned out of the dwelling which had been his family's home for generations. The way the schools were run in those days seems to us today to be utterly stupid and barbaric. The teachers were usually old soldiers who believed that discipline and education were synonymous, and they enjoyed beating the children cruelly and mercilessly. The little instruction given was presented through the medium of English although the children did not understand a word as they were monoglot Welsh. They could only repeat the English words without understanding their meaning, and if they should happen to speak Welsh to each other, then a piece of wood with the words 'Welsh Not' on it was hung around their necks as a sign of shame and scorn.

But the chief reason for emigrating was poverty. The farmers had suffered a series of wet summers and poor crops; the taxes were heavy and prices were high, especially that of wheat. The rents were raised, and the common land enclosed. The father had to work hard from dawn to dusk for about a shilling a day, and his large family, living in squalid conditions, rarely tasted meat except on a Sunday, and even then only the tiniest morsel in their broth. It was therefore natural that thousands of Welsh people should leave their homes and venture on long voyages to strange lands, hoping that

there they would find freedom and better living conditions.

They not only desired to escape from the oppression and the poverty, but also to create a new nation across the sea. The name they gave to this dreamland was Y Wladfa, a shortened form of the Welsh word for colony. Many parties of Welshmen were sent out from time to time with the intention of establishing a colony in the United States. Strong Welsh societies flourished there; chapels were built, eisteddfodau held, and books and newspapers published, all in the Welsh language. Unfortunately, the children of these settlers tended to become more American than Welsh, forgetting the language and traditions of their fathers. On this account there arose a desire among the Welshmen in America to go to some unpopulated part of the world, which had not been claimed by any State. These Welsh exiles in the United States were the first to think of going to Patagonia. They believed that if it were possible to persuade the thousands of people who left Wales every year to follow them to Patagonia, they could establish a strong nation there with its own Welsh government. Unfortunately, the Civil War and other factors thwarted their intentions. The plan was then adopted by about a dozen young Welshmen in Liverpool. One of these was Lewis Jones, who was born and bred in the town of Caernarfon, and who had been apprenticed as a printer there. Another was 22-year-old Edwyn Cynrig Roberts, who had been born in Cilcain, Flintshire, but was brought up in Oshkosh, Wisconsin. When he realized that no party was going to leave the United States for Patagonia, he came over to Liverpool, fired by the pioneering spirit. A Colonial Society was established in Liverpool in 1861, to which each member subscribed sixpence a month. Edwyn and four other men were sent all over Wales to lecture about Patagonia, to persuade people to venture out there, and to collect money towards the movement, but the response was poor.

Argentina is in the southern part of South America, and Patagonia is the most southern region of the continent. It measures three hundred thousand square miles, and is five times the area of Great Britain. From the sea to the east, a desolate plain rises step by step to the mountains of the Andes, which are almost four hundred miles to the west. The land was uninhabited apart from tribes of wandering Indians. Spaniards had often tried to settle there, but each attempt had been unsuccessful, chiefly because the Indians attacked them, killing the men, and carrying the women and children into captivity.

As Wales had no Government to support them, the committee in Liverpool had to enter into an agreement with the Argentine Government concerning their plan. And as they had no money they also had to receive help from that government. They hoped to be able to send enough

Welshmen to Patagonia to enable them to claim provincial status within the Argentine Republic, with a large measure of self-government.

Towards the end of 1862 Lewis Jones and Love Jones-Parry, the squire of Madryn in Llŷn, were sent to inspect the country. When they reached the village of Patagones, the most southerly settlement, they found that they were unable to cross the four hundred miles of pampas at that time of year. So they hired a 25-ton schooner, *Candelaria*, and with a crew of convicts they sailed down the perilous coast. A storm drove them into a large bay, which the settlers later called Porth Madryn. When the storm abated they sailed along the coast another forty miles before entering a treacherous estuary, and setting foot in a valley which they called Camwy. After many set-backs they returned to Buenos Aires and signed a contract with the Argentine Government, then sailed back to Liverpool. Although they were not satisfied with the contract, which promised only land for the settlers and not self-government, Lewis Jones and other members of the Liverpool Committee went around Wales describing the Vale of Camwy as a paradise. Thus it was that the party of 162 were persuaded to sail there aboard the *Mimosa*. It was two months to the day before they again set foot on dry land.

I have mentioned the thousands who had already emigrated from Wales, but this event was quite different. It is doubtful if there has ever been anything like it in the history of any country. Here we have a number of ordinary people venturing to an unexplored part of the world, without certain means of livelihood, and into the midst of primitive Indians, with only their dreams to lead them on and their faith to sustain them. And the little committee in Liverpool was attempting to establish a new country in the furthermost reaches of the earth with no practical experience of pioneering, having little or no knowledge of business, without support in Wales, and completely lacking in financial resources.

The ship set sail down the Mersey at dawn on a Sunday, and an Anglican service was held by the captain during the morning. A Sunday school was arranged for the afternoon and a Nonconformist service for the evening. A prayer meeting was held every night during the voyage. By Monday morning they were opposite Anglesey, where they encountered a fierce storm. It is easy to imagine the feelings of the poor travellers, penned like sheep in the hold, the old ship being tossed like a cork in the tempest, and most of them suffering from sea-sickness. A life-boat came out to rescue them, but Captain Pepperell refused her aid. At last the wind died down, and the ship continued on her journey. Life was very monotonous for the passengers during the two months of the voyage. Sometimes another ship would pass and there would be laughter at seeing the captain's bewilderment in trying to decide to which country the Red Dragon belonged. As they sailed towards

the Equator, with the heat overpowering, and very little shade on deck, and the ship without movement due to lack of wind in her sails, the young men were allowed to bathe in the sea, but with a rope around their waists to pull them to safety should danger threaten. There was trouble one day when the captain wanted to cut the girls' hair, and he was opposed by the Welshmen. During the voyage four children died and two babies were born.

The travellers talked of the good land awaiting them. Had not the organizers of the venture told them about the open land each side of a wide river filled with fish, and about the valley of lush grass and fruit trees, frequented by thousands of wild sheep and ostriches? But great was their disappointment when they arrived. They sailed into the bay and landed upon the unwelcoming beach in mid-winter. The day was short, the heavy rain was like a whiplash, and it was bitterly cold. In spite of this, such was their bravery and hope that they insisted on believing that their disappointment would be short-lived, and that the pleasant land lay just beyond the bare hills. Some of the young men went to the top of the hills to see the country; one ventured too far, lost his way on the pampas, and died of hunger and thirst.

The Landing

Three months before the emigrants set out from Liverpool, Lewis Jones and Edwyn Roberts were sent to prepare for their arrival. When the two reached the village of Patagones, Lewis Jones managed to persuade the merchants there to sell him provisions and animals on credit. The two men left on 10 June on the little schooner *Juno*, and sailed down the coast, taking with them some of the provisions and animals, and landed on the desolate shore of Porth Madryn. Five hundred sheep were to be driven across the pampas by men hired locally, but many were lost because of attacks by Indians. Lewis Jones went to fetch a second load, leaving Edwyn on the shore with four of the men, one of whom was a native of Calcutta, whose father was an Irishman; his name was Jerry. They started to dig a deep well in the hope of finding fresh water. One man, at the bottom of the well, would fill a bucket with earth, and another would pull it to the surface with a rope. One day, when Edwyn was at the bottom of the well, the men went on strike and refused to pull him up. They intended leaving him there to die, and ride away on their horses. Fortunately, they went to the stores before leaving, to feast on the food and wine. By the second night three of them were drunk, and Jerry came to the well and lowered a rope to bring Edwyn up.

On 27 July, Edwyn saw the *Mimosa* approaching, and hurried to the white rocks near the beach, hoisted the flag of the Red Dragon, fired shots into the air, and rowed out to meet them. Some of the women were leaning over the side of the ship, and one said to her friend, 'Mary, do you see that man? He will be my husband.' Her prophecy was realized, for within a few months they were married, the eighth Welsh wedding in Patagonia and the first to be celebrated with a feast.

In fact, very little preparation had been made to receive the first emigrants. The storehouse where the food was kept was merely a hole dug in the soft tosca rock and covered with rushes. Instead of the hoped-for log cabins, the emigrants found only a few planks placed upright in the ground to shelter them from the wind and the rain. The committee in Liverpool had a completely erroneous idea of their requirements. They expected the party to reach an idyllic valley, where they would live happily on their farms, reaping a harvest within a few months. That is why they printed money with which to trade. These notes are printed in Welsh and are very rare, but, fortunately, two exist; a pound note in Patagonia, and a ten-shilling note in Wales. The committee had no idea of the remoteness, climate, or geography of the country. Had they known, women and children would not have been amongst the first emigrants, and certainly they would not have arranged for

them to land in the middle of winter. But these Welsh people were very brave. The women and children lived in wooden huts near the shore for six weeks. They had great difficulty in trying to milk the wild cows. A woman attempted to milk one of them, but the cow rushed at her like a Spanish bull, and she only managed to escape by throwing her pail over the animal's horns. When a cow attacked one of the men he managed to catch hold of its tail, but his hand became entangled in it, and he was dragged a considerable distance before the tail came off in his hand.

Lewis Jones returned with the third load, this time aboard a sixty-ton schooner, the *Mary Helen*. By now the settlers had about fifty head of cattle and horses, one thousand sheep, six pigs, six dogs, four oxen, a cart, two dozen ploughs, three hundred sacks of wheat, twenty sacks of potatoes, and six thousand feet of blanket material. In fact, however, they had barely enough food to sustain them for three months, and that only by strict rationing.

They decided to move forthwith to the Vale of Camwy. They had to walk southwards across forty miles of pampas, over a range of hills, where the earth was stony and sandy. The Vale of Camwy is about seventy miles long and ten miles wide, but towards the middle it narrows to a width of about six miles. It is completely flat, and extends eastwards from the sea between two ranges of barren hills, to a narrow pass between rocks at its far end. From this gap flows a large river, which winds its way like a serpent along the floor of the valley towards the sea. The water is brown as it has travelled across four hundred miles of pampas from its source in the mountains of the Andes.

Edwyn Roberts led the first group of eighteen young men. Each carried a gun and ten pounds of hard biscuits, enough to keep them alive for four or five days. The first night they camped in a gorge within sight of the sea. They slept in a row under the shrubs with two armed men on guard. A sudden noise awoke them, but they realized that it was the bark of a fox and not an Indian attack. On the second day they saw a cloud of dust on the horizon. They assumed that it was smoke from an Indian camp, and veered towards the sea, adding miles to their journey. As they pitched camp on the second night they discovered that some of the vessels carrying the fresh water were broken and almost empty. By the third day William Roberts was unable to go a step further; he lay on his blanket in the shade of a bush and implored the others to leave him there to die. By mid-day fifteen of the others were too thirsty and weak to go on. Yet Edwyn and two other lands went on, and they returned at midnight with their vessels full of water. When they had quenched their thirst, the whole company pressed on for about four miles to the lake from which the water was obtained, and they slept there until four o'clock on the fourth day after leaving Madryn.

As they set out again they were worried about William Roberts, the man they had left behind; but, just then, they saw someone coming over the hill, and they were overjoyed when they realized that it was their friend. He related how he had accidentally found a small lake, quenched his thirst, and slept the night before walking on and catching up with them.

A few days later a man from another group lost his way on the pampas and wandered towards the sea. Despite his intense thirst he knew that he dared not drink the salt water. He saw a bottle on the sand before him, picked it up and found it full of sweet wine. No doubt it had fallen from a ship and had been carried there by the tide. Although it is said that this wandering man was a strict teetotaller, he drank every drop of the wine and lay down on the beach in a deep sleep. He was a new man when he set out again the next morning, and by following the coastline, he returned safely to Madryn.

When the first parties reached the valley, they all camped on the banks of the river near the place where they later built the village of Rawson, which is today the capital of the province.

It had been arranged for a life-boat, sailing along the coastline, to bring them food, but it never reached them. It had set out on its voyage, it is true, but had sprung a leak, and was brought ashore and abandoned on the beach. When the men had been in the valley for over a week without food, it was decided that eleven of them should return to Porth Madryn. When they had walked about half-way, they became too weak and hungry to go any farther. The youngest was asked to pray, and the rest knelt in a circle around him. When the leader opened his eyes, he saw a kite hovering above them, and he shot it down. So great was the men's thirst that one of them rushed to the bird, bit its head off, and sucked every drop of its blood. Fortunately, another group of men were making their way from Madryn to the valley, and when they heard the shot they came up to the others and gave them food and drink. They broke the news to the leader of the hungry party that his wife had given birth to a baby girl in one of the caves in Madryn. To commemorate the occasion the name Bryniau Meri was given to a range of nearby hills, and that name remains on maps to this day. That girl was the first child to be born to the Welsh in Patagonia, and strangely enough, her son was the Home Secretary in the Provincial Government five years ago.

An attempt was made to take the women and children from Madryn to the valley along the coast in the schooner called the *Mary Helen*. They should have arrived there within two days, but a storm blew up and the ship was blown off its course so that they did not reach their destination for seventeen days. Ten sacks of wheat were lost overboard, and also some personal belongings. Their supply of fresh water soon came to an end, and the fifty

women and children endured great thirst. Although they knew of the distress of that voyage, more women and children ventured on the second journey in the little ship, and this time arrived in two days.

When everyone had reached the valley, small mud cottages with roofs of rush and willow were built. They used a box for a table, and the skull of a cow covered by a sheepskin served as a chair. A small storehouse was built to keep the food, and it was here that religious and literary meetings were held. Their governing body of twelve men also met there.

A number of soldiers came there in September, and with them an officer representing the Argentine Government. The purpose of this visit was to give them formal permission to settle there. During a simple ceremony the Argentinian flag was hoisted in Patagonia for the first time.

Above all else these pioneers feared the Indians. They particularly dreaded an attack by the Arawcanô, a fierce and quarrelsome tribe which had been attacking Spanish settlements in the north. But not many of these came down to Patagonia until later, when they were being cruelly persecuted by Argentinian soldiers. It was the tribes of Tehuel-che which wandered over Patagonia, a quiet and inert people, although they too could fight bravely against their enemies. When these Indians came to the valley, they became friendly with the Welsh. They called them 'Friends of the Indians', but the name they gave the Spaniards was 'Cristianos'. These Indians gave the Welsh meat and taught them to hunt on the pampas, and thus saving them for dying of hunger.

Settling Down

It is difficult to relate briefly all the troubles which befell the Welsh people during their first three years in the Colony. After ploughing and sowing they waited in vain for rain, and the young shoots withered in the heat. At one time they spent twenty months without any contact with the outside world, and had to live mainly by hunting. They acquired a small ship to maintain contact with the rest of the world, but it was lost in a storm with all its crew aboard. Yet they continued to live as if they were still in Wales. They worshipped on Sunday, and during the week held their prayer and religious and literary meetings. A Welsh newspaper was published in long-hand once a month.

The hulk of a ship was found on the beach, and the captain's cabin was dragged to the top of the hills, and used as a school for the children. It had a mud floor, and benches were roughly carved from willow trunks. The teacher and the children collected flat stones to serve as writing slates. Welsh was the only language heard, and their only book was the Bible. The teacher prepared Welsh textbooks, and that at a time when the 'Welsh Not' was prevalent in Wales. Eluned Morgan was one of these schoolchildren, and she later published four books which are considered today to be amongst the classics of the Welsh language.

After being there for eighteen months, the majority wished to leave, and a request was made for a ship to take them to one of the northern provinces. They all went to Porth Madryn to await the ship, but they were persuaded to return and try again. By this time the Indians had burnt and destroyed their cottages, probably to prevent the Spaniards from coming there to settle. They were glad to welcome the Welsh back, and gave them horses and every assistance to return across the pampas from Madryn.

Then, by a stroke of luck, the key to the success of the settlement was discovered. Aaron Jenkins went to look at a strip of land he had sown near the river, and discovered that the young shoots were withering in the heat. As the bank of the river was higher than the floor of the valley, his wife suggested that he should open a gap in it and allow the water to flow over the land. He did so, and then closed the gap after soaking the earth. As a result he had an excellent harvest, and others soon followed his example. When the harvest was ready to be carried from the fields, a great flood swept it all to the sea. But they had realized that they would be successful if they irrigated the soil, and they worked hard to achieve this. They tried to dam the river, and after many failures succeeded in building a strong dam between the rocks at the top of the valley. From it two large canals were opened, one on

each side of the river, to bring water to the farms. It was extremely hard work to dig these canals with only a pick and shovel, because they were about a hundred and fifty miles long. But good harvests came as a result, and grain from the colony won the gold medal in two international exhibitions, one in Paris and the other in Chicago, and Patagonian wheat became world-famous.

The history of the Colony was not only one of material success. A civil constitution was formed for the settlement, and when this was recently translated into Spanish and published in the Argentine, it was praised as 'a hymn to freedom' and acknowledged as 'the first foundation of democracy in South America'. The members of the senate were elected annually, and everyone over eighteen had the right to vote by ballot. Fifty years were to pass before women gained the right to vote in Great Britain, and no one under twenty-one is allowed to do so to this day. Twelve men were elected to govern, and the senate met each month, their discussions and minutes all being in Welsh. The senate made laws and those were administered by two Welsh courts.

Within twenty years of the first group's arrival, the settlement had become a great success, and the dream of a Free Wales was being realized. Chapels had been built, and religion continued to flourish. The culmination of literary activity was the annual chair eisteddfod, with its own Gorsedd of Bards, its chaired bard and choirs exactly as in Wales. United meetings of the Sunday schools were held from time to time, and singing festivals and preaching meetings were also held in the various districts.

The Colony rekindled the interest of certain people in the United States, and three groups were sent from there. But not one of them was wholly successful. A 200-ton ship called *Rush* was bought, and twenty-nine emigrants sailed on her, but they all dispersed as soon as they reached Buenos Aires. Then a small ship, the 66-ton *Electric Spark*, was bought and she sailed with 33 passengers – a wealthy group of emigrants who owned their own ship and had agricultural implements and furniture of their own. But she was shipwrecked off the coast of Brazil, and after much suffering the group reached the Colony with neither money nor possessions. A third group of 46 emigrants arrived safely, although they also suffered great hunger during the voyage. The Colony was fortunate in having these emigrants from the United States, since they already had experience of pioneering a new country.

Two or three merchants came to the Colony in small boats, and they also proved to be useful in maintaining contact with the outside world. And by now small groups came regularly from Wales, the largest, numbering 465, arrived aboard the *Vesta* in 1886. Most of these were employed by Lewis Jones to build a railway between Madryn and the valley. Another important

development in the history of the settlement was the formation of a Co-operative Trading Company. The Welsh themselves owned this company, and it was of great benefit to them for many years. By 1886 the population had risen to 1,600, and Welsh was the only language spoken there. When Spaniards or Italians joined the settlement, they soon learnt the language and became as Welsh as the rest of them.

Pioneering the Pampas

By 1885, one of the main problems of the people of the Colony was the lack of land to be cultivated, as the whole valley was being farmed successfully. Another reason for the dearth of land was the law that enforced the sharing of property equally between the children on the death of their parents. Should there be only four children in the family, each one's share would be only a quarter of the farm pioneered by their parents. They knew by now that there was plenty of land beyond the valley, but that it was barren pampas. Some of the young men went on journeys of exploration deep into the country. No one could have been better suited for this purpose, because they had been brought up in the Vale of Camwy, had matured in the early days of hardship, were excellent riders and hunters, and experienced in the ways of the pampas and of the Indians. Curiosity and the spirit of adventure were reasons for their venturing on these dangerous journeys. Then the rumour spread that there was gold waiting to be discovered and possessed in the unexplored land, and many went in search of it. And when they had discovered the gold, companies were formed to mine it. A large sum of money was spent on tools and workmen, but not enough gold was found to make it profitable. The main purpose of venturing across the pampas, however, was to look for suitable places for new settlements.

At first they left the valley in groups of two or three, wandering across the mysterious pampas for weeks, living chiefly by hunting, before returning home. The most famous of these men of adventure was John D. Evans, who came to the Colony when he was three years old with the first emigrants in 1865, and who was known as Baqueano, that is, a skilful leader and one familiar with the life and tracks of the pampas.

Although the relationship between the settlers and the Indians remained friendly over the years, an occasional quarrel occurred when some of them stole animals from the Welsh. But most of these quarrels were of no consequence. In the early eighties, however, the Argentinian soldiers led a wild attack against the Indians. They drove them further south. Thousands were killed, and the remainder cruelly treated before being sent as prisoners to the capital. The Indians were enraged by this treatment, and some of the tribes were tempted to seek revenge. Once, the chiefs Foyel and Saihweci tried to persuade Chief Sagmata to join with them in attacking the Colony. He refused, and sent a letter to warn his friend, Lewis Jones. Fear swept through the valley. A small army was mustered to defend the settlement, and guards were posted on the hills. A row of bonfires was prepared ready to be set alight should they be attacked, but one of the guards was careless in

lighting his pipe and accidentally set fire to his bonfire. It was thought that the Indians were approaching, and the settlers gathered the women and children together in the safest place, and prepared to defend them. One of the colonists rowed his family across the river, thinking that they would be safer amongst the rocks. When they were half-way across, he stood in the boat and said to his wife: 'I am tempted to drown you, Jane. That would be better than falling into Indian hands'. Fortunately he did not do so, but completed his journey, and returned to guard his farm and possessions. He saw someone with long hair and a beard approaching in the dark, but he recognized him in time as William Jones, 'Rhen Wlad'. 'Desdimonia', said the colonist with his customary greeting, 'had you been wearing an Indian mantle, William, there would be fifteen holes in it by now'. When they learnt that the first bonfire had been set alight by accident, they all returned to their homes.

In spite of the danger, John Evans and a number of young men insisted on travelling up the river, and four of them went as far as the river Eira at the foot of the Andes, a distance of about four hundred miles from the valley. When they sensed that Indians were after them, the four hurried back, travelling for days without rest, the horses exhausted and their hoofs bleeding, and two of the young men having to be tied to their saddles. In the valley of Kelkein a number of Indians ambushed them, and three of the young men were killed in the ensuing battle, but John Evans managed to escape on a young colt by leaping over a deep precipice and wandering on for over two hundred miles to relate his sad story. Kelkein is known today as the 'Valley of the Martyrs'.

At the end of 1885, twenty-nine of the colonists went on a long journey, and were away for three and a half months. During that journey they saw a large valley in the mountains and they called it Cwm Hyfryd which means Pleasant Valley. Surrounding it are eternally snow-capped mountains, three large rivers meander through it, and it is covered with high lush grass and an abundance of fruit and flowers. Of all the new places that they saw on the journey, this was the one which appealed most to them, and it was decided to build another Welsh settlement there. A number of unmarried men went there first, to build cabins and prepare the place for families. Then the families ventured there, and the story of that journey is an epic. They crossed four hundred miles of continent over which no wheel had ever travelled. They crossed the rivers by unloading and dismantling the wagons, and using the bases as boats to carry everything across. Then they would re-assemble and reload the wagons before venturing on once again. When they came to a precipice or a gorge, everything had to be lowered with a rope, piece by piece. They had to take their hens, geese, cats, dogs, sheep, and cattle with

them, and enough flour and wheat for a year, together with a few tools. They travelled regularly and diligently for six weeks, sleeping under the wagons and depending mainly on hunting for their food. By today there is a large mixed population among these mountains, but Cwm Hyfryd is still Welsh, and the descendants of these brave old pioneers continue to worship in Welsh in Bethel chapel and their children gallop to school on their horses. Many other settlements were later pioneered by the Welsh.

Bandits also troubled the settlers from time to time. During 1878 news came that an escaped bandit had reached the valley, and the President of the Council of the Colony asked Aaron Jenkins to seize him and take him to prison. As they returned, the bandit stabbed the Welshman in the back, and after throwing him to the ground, stabbed him again, cut his tongue, stole his gear and horse, and escaped. Posses were summoned to pursue the murderer, and after following his tracks for two days, he was seen and shot by one of the young men. The rest of the posse reached them, and each fired a shot into the murderer's body, so that no individual could be blamed for the act. Aaron Jenkins is known as 'the First Martyr of the Colony'.

Another event which caused great concern in the Colony was the murder of Llwyd ap Iwan in 1909. He had been appointed manager of a trading post in Nantypysgod, and two young Welshmen and an Indian worked under him. A number of Americans came to the foot of the Andes, bought a ranch there, and lived courteously and amicably amongst the Welsh. From time to time there was news of bandits attacking and stealing money from various banks all over the country, but nobody knew that it was these Americans who were responsible, until secret agents from the United States tracked them down. The three leaders disappeared, leaving their assistants to carry on, but they were less skilful and more cruel than their masters. One afternoon two of them, Wilson and Bob Evans, came into the trading post and asked to see the manager. Llwyd ap Iwan was called from the house, and when he entered the shop, one of the visitors asked whether there was a letter for him, hoping that this would serve as an excuse for them to go into the office. When the manager said that there was no letter for him, the two bandits drew their guns, and forced Llwyd to go into the office with Wilson. The other ordered the two servants and the Indian who worked there to turn and face the shelves with their hands up. One of the youths began to cry, and the bandit asked:

'Have you got a mother?'

'Yes.'

'Would you like to see her again?'

'Yes.'

'Well then, shut up,' and he added, 'you'll have a good story to tell her

after today.'

After reaching the office, Llwyd was forced to open the safe, but there was no money in it.

'Where is the money?' asked Wilson. 'There should be about fifty thousand dollars in it to pay for the wool.'

The Welshman denied this, and he was called a liar. Some believe that Llwyd lost his temper, and attacked the other. Unfortunately, he had burnt his hand a few days previously when an oil lamp had exploded, and because of this he was beaten. Another version of the story is that it was the bandit who lost his temper. Whatever the explanation, the sound of voices and of fighting was heard in the office. It seems likely that Llwyd held the other man's wrist and forced him to drop the gun. They both slipped on a carpet and fell to the floor, thus giving the bandit a chance to draw another gun from his high boot, and shoot the Welshman through the heart. When the two bandits had helped themselves to provisions, new saddles and bridles, and hundreds of bullets, they left, ordering the servants to stand outside until they had disappeared from sight.

The murderers were sought for months by groups of armed Welshmen, and later by soldiers, but the bandits were safe in the forests of the Andes. At last, they came out of their hideout in the mountains, and went into a lonely tavern to drink, boasting of their cleverness in avoiding the soldiers. A young officer and five soldiers trailed them, and, after five days of hard riding, they saw smoke curling into the air from a wooden hollow. Three soldiers were sent there. One was shot dead by the bandits, another was wounded, but Pedro Rozas galloped on, firing at Bob Evans. He lay injured behind a tree, but carried on shooting until he died. By now Wilson had fled as fast as his feet could carry him, but Rozas shot him in the arm, forcing him to drop his gun. The bandit fell to his knees pleading for mercy, but the soldier asked him: 'Are you Wilson?'. When he received a reply in the affirmative, he shot him dead, thus avenging the Welshman's blood.

Quarrels

When they saw that the settlement was succeeding, and because of a dispute with Chile over the possession of Patagonia, the Argentina Government began to interfere in the Colony. Unfortunately, ignorant men from the navy were sent to represent it at first, and there were many squabbles between them and the Welsh. They were arrogant, and treated some of the settlers cruelly, and Welsh leaders were often unfairly imprisoned. But an occasional representative was an exception, and one of these was Antonio Oneto, who was sent there at the end of 1875. 'Old Oneto', as he was known to the Welsh, was an interesting man: a simple and genial person, an Italian who spoke a little Spanish and English, and whose main interest was astronomy rather than politics. Many a story is told of his innocence. His main delight was the company of his dog and his cat. He composed a song to the dog, and taught the cat to dance on the table. Once he came to the riverside and asked the boatman, a drunken old Irishman, to row him across. He agreed, but in the middle of the river he refused to row any farther, and threatened to overturn the boat unless he was given money to buy liquor. Oneto emptied his pockets immediately, and after reaching the bank, thanked the Irishman devoutly for his deliverance. Another time the Irishman threatened to set his house on fire if he did not give him food, and that time Oneto emptied his cupboard. He was very interested in the pampas, and when chief Kinkel visited the valley, he was invited to the representative's house. It was necessary to have two interpreters. Oneto spoke English, this was translated into Welsh by one of the settlers, then this again was translated into the native language by Galech, the chief's son. In April 1879, Oneto went on an exploration of the pampas, and died there.

At the end of 1885 Luis Jorge Fontana was appointed first governor of the territory. Fontana was a wise and cultured man, and there was good co-operation between him and the Welsh. By now, they had local self-government, and a municipal council was elected to make and administer the by laws. The Welsh were praised for being the first to elect a local council in a Argentina. Welsh was the language of discussion in both elected councils, and was also the language of the minutes, but with a Spanish translation.

There was a slight misunderstanding about the question of education, but the Government was cunning and wise in offering to shoulder the financial burden of the schools, pay the teachers' salaries, and allow the teaching of Spanish through the medium of Welsh. This was much better than the English education given in the schools of Wales. It was realized that the easiest way to teach a child a new language was through the medium of his

mother-tongue and textbooks were published to teach Spanish through the medium of Welsh. Gradually the schools passed into the hands of the Government, and by the end of the century the only language spoken in them was Spanish. It is true that the settlers built a Welsh school, but the children were not allowed to attend until they had completed their course in the Government's schools.

When Fontana retired, other governors who were not so wise were appointed, and many disputes occurred there at the end of the century. The most famous of these was 'the Drilling Dispute'. Every young man was ordered to go through a course of military training. The Welsh did not object to this, although they did not like their boys to mix with men of lower moral and cultural standards in the army. What they objected to was the order to drill on Sundays. Sixty of the young men refused to obey, and they were imprisoned for months. Two men were sent to Britain to appeal to the Government in London to intervene in the dispute. Then some foolish actions took place in the Colony, such as sending a policeman to a prayer meeting in Gaiman to arrest the leaders and imprison them, treating them like ignorant savages. But Julio Roca, President of the Republic at the time, was a wise man and he visited the Welsh. They gave him a wonderful welcome, and he granted them all their rights.

David Lloyd George and Herbert Lewis visited Argentina during this quarrel. Unfortunately, they went no further than Buenos Aires. There, the two met the man who was the governor of the territory at the time. He told them that the Welsh were brave people, dignified and peaceful, but he could not understand some things about them. They did not wish to call themselves English, and yet they did not speak Spanish because they were subjects of the country of the English! He was surprised at their enthusiasm for the eisteddfod, but the 'singing game' seemed to him to be a very peculiar thing!

The Flood

A great tragedy struck the settlement at the end of the century. The winter of 1899 was damp, with fine rain falling continuously for weeks, and the valley became a sea of mud. The river rose dangerously high in July, and then it burst its banks in a great torrent in the upper reaches of the valley. Young men on fast horses were sent to warn the inhabitants, and to urge them to flee to the hills. Within two days the whole valley was like a wide river, with the current rushing through it towards the sea. Houses fell, and furniture floated like small boats on the surface of the water, and an occasional hayrick moved like a ship towards the sea. There were narrow escapes. A week previously a baby had been born to the wife of the poet Caeron, and he had to carry the mother and her baby to one of the wagons, and flee with the rest of the children through the rain and the cold. The wagon and the horses floated on the surface of the water at times, and they could only guess at the position of the bridges under the water. At last they reached the home of his wife's parents, but they had to flee again, and stay the rest of the night on a hillock, which was like a small island in the flood, until a boat came at dawn to carry them to the hills.

Within a week the valley was like a sea, and hundreds of people, including old men and women, children and babies, were scattered over the bare hills. Tents, made of such materials as they had, were erected to shelter them from the rain and the cold wind. Bread became scarce, and some of the animals had to be slaughtered to avoid famine. The camp fires shone like stars on the hills throughout the hours of the night, and nothing could be heard, apart from the lowing of the flock, the cries of small children, and the sound of the waters rushing past.

The colonists made flimsy boats, and rowed in them to see the extent of the damage. They saw that half the village of Gaiman was under water, and that the village of Rawson was in ruins. Over a hundred dwelling-houses, eight chapels, five schoolrooms, and three post offices were destroyed. The canals were also destroyed, and most of the previous season's harvest was carried to the sea. But these colonists were not ones to lose heart. Blankets, tents and clothes were sent to them from the capital, pasture grew on the pampas after the rains, and plenty of food was obtained for the animals. After months of suffering and brave endeavour, order was gradually restored, new homes were built on higher places, the canals were re-opened, and life went on as leisurely as before.

During the last ten years a large embankment has been built about sixty

miles farther up the valley, and a huge lake dammed there. Today, the water is released into the valley as needed, and it is also used to generate electricity for the province. In this way it is possible to avoid drought during the summer and floods in the winter.

A Changed Outlook

A gradual but constant change has come to the life of the settlement during the last half century. Emigration from Wales ceased in 1912, and people of different nations have flocked there. By today the population of the province is about 150,000, but only about 20,000 of these are descendants of the Welsh, of whom about 5,000 speak Welsh and keep alive the old traditions of their fathers. Most of these live together, either in the Vale of Camwy or in Cwm Hyfryd. Because of negligence and the effects of the first World War, the Co-operative Company went bankrupt, and consequently many of the Welsh people lost their wealth. The congregations have dwindled and there are fewer ministers. Spanish has become the first language of the young people, although many of them continue to speak excellent Welsh to this day. They still take great interest in Wales and her traditions, but Argentina is their country, and it is to her that they give their greatest loyalty. They still hold eisteddfodau and competitive meetings, singing and preaching festivals, and they love to sing our old songs and hymns. Some of these young people visited Wales recently, and although they are of the fourth generation, and not one of their family had visited Wales for a century, their Welsh is better than that of us who live here. This may be the most startling fact, and the strangest result of the whole history of the Colony.

They are very fond of the old custom of holding tea parties and picnics. These are arranged at short notice and without fuss, and everyone brings his contribution of food to the feast. This happens particularly on 28 July, the Day of the Landing. There are sports for the children in the afternoon, the young men on horseback compete for the feat of the sortija, and from a nearby field comes the sound of a shooting match. Then they have a feast in the vestry before holding a celebration concert in the evening. After hours of singing, reciting, and speechmaking, everyone returns home happily, some in cars, others in a horse-and-trap, and the young people gallop on their horses singing the folk songs of Wales and Argentina. The Provincial Government recently ruled that this special day be celebrated annually as a national holiday, in tribute to the pioneers from Wales.

On other occasions a feast is celebrated by holding an asado. An ox is roasted over a wood fire in the open air – Indian style, and slices of the most delicious meat are eaten between chunks of bread, with wine, as is customary in Argentina.

The old calm life remains; the farmers work at their leisure unoppressed by clock or master, taking their siesta when the heat is overpowering in the afternoon, and gathering their harvest from the fields when the evening

breeze blows from the sea. They are extremely friendly people, and their kindness and hospitality know no bounds.

This year we have an opportunity to pay tribute to these pioneers. Wales can be proud that she begat such heroes, and Argentina never had better pioneers. Not only did they adapt themselves to their new surroundings with particular skill, but also because of their loyalty to the language and traditions of Wales a new civilization was planted in South America. Our tribute will be an encouragement to thousands who continue to speak our language and keep our traditions alive in the farthermost parts of the earth, and remembering their bravery will be an inspiration to the thousands who are fighting to guard the same treasures in Wales itself.

The Welsh Colony in Patagonia 1965 - 2000

In October 1965 a chartered plane carried about 70 Welsh people from London to Argentina to take part in the celebrations to commemorate the establishment of the Welsh Colony in Patagonia. This was the first visit of its kind and it was to last for three weeks. Many of the "pilgrims", as they were called, represented Welsh establishments, while others were individuals who had family connections with the Colony. The British and Argentine governments gave their official support to the celebrations and the Argentine President, together with the British Ambassador, extended a welcome to the visitors in Buenos Aires.

The warmth of the welcome in the Valley was overwhelming. Official dinners, singing festivals, religious services and concerts had been arranged and numerous ceremonies were held to unveil statues and memorials. The unofficial welcome was equally warm and the visitors were given a taste of the traditional life of Argentina – its colourful dances, folk singing and asados. The climax of the celebrations was the Eisteddfod, which had been resumed after a lapse of 38 years. St. David's Hall in Trelew was filled to capacity and the competitions continued until 4.30 a.m.

Wales also commemorated the centenary of the great venture of 1865 and meetings were held in all parts of Wales. Eight young people were invited to spend the summer months of 1965 in the Old Country. They also were given a royal welcome and a full programme of activities had been prepared for them – in London and Liverpool as well as in Wales. The story appealed to the Welsh newspapers and they ran daily reports of the celebrations in both Wales and Argentina.

Not everyone, however, was so supportive. The eminent Welsh writer Bobi Jones wrote an article in *Barn* under the title Patagonian Farce. This is how the article starts. "The Patagonian celebrations in Wales this year have been rather unreal. Many deceived themselves that the emigration has been a success, that it is wonderful to think that there is an exotic land beyond the Southern hemisphere where people preach in Welsh, that there is some future to Welshness in the shadow of the Andes. That is, we deceive ourselves that the emigration was worthy of note, that it has some historical value, and we inflate the whole thing to seem a significant element in our national life."

The celebrations were, however, of great benefit to the Welsh people in Patagonia. Their Government had publicly recognised the courage of the original Colonists and the heroic contribution of the Welsh people to a colony, which had excellent economic prospects. Above all, the cultural

contribution of the Welsh to the life of the colony was officially recognised, they gained a higher status and they were respected and admired by immigrants from the other nationalities that had settled in the area .

By 1970, thousands of people from all nationalities had moved into Trelew and it became a large cosmopolitan town. Many young people of Welsh extraction emigrated from the rural areas to the towns in order to improve their economic prospects; they forgot their Welsh traditions and language and inevitably married Argentineans. The Welsh language was rapidly becoming the language of old people. Because of the lack of religious leadership many of the Welsh people found spiritual consolation in the churches of the Roman Catholics, Mormons and the American Methodist Mission and of course their services were held in Spanish. The Colonist appealed in vain for cultural leadership from Wales. In Britain, in 1975, the Sunday newspaper, *The Observer*, published an article bearing the title 'Welsh Valley dies in Patagonia' and a year later Gareth Alban Davies wrote about "the sad disintegration of the Colony".

There were, however, a few dedicated individuals in the Valley who kept the flame alive. The (bilingual) Eisteddfod was held annually, Gŵyl y Glaniad was enthusiastically celebrated on 28 July each year, and the Welsh language newspaper *Y Drafod* was still published. Economically, the province was a success. Its oils and minerals were exploited and, since the climate is temperate in comparison with the northern provinces of Argentina, tourism was successfully promoted. Although the huge dam, which was opened in 1962 and shown with such pride to the "pilgrims", managed to control the flow of the river Camwy, no-one had foreseen that it would have drastic consequences on the green and fertile pasture of the Valley by causing salt to rise from the earth and turning the land into arid desert.

Wales also retained its interest in Patagonia. A number of programmes about the province were broadcast on radio and television and there were regular entries each year for the National Eisteddfod's literary competitions for the Welsh residents of Patagonia. The Wales-Argentina Society actively promoted the contact between the two countries and acted as a link for the Patagonians when they visited Wales. The society collaborated with Coleg Harlech in sponsoring bursaries for students who came to Wales from Argentina to spend a year at the college learning Welsh. During the 1970s holiday tours to Argentina were started in Wales; the visitors were warmly welcomed and many fell in love with the country and its people and returned regularly.

But the Welsh language continued to languish among the young people. Then, in the late 1980s, some individuals who were experienced teachers of

Welsh as a second language went out to Patagonia and started to establish Welsh classes in the Chubut Valley – indeed volunteers from Wales continue to make an enormous contribution to the Welsh life in the Colony. Ministers of religion from Wales also spent considerable periods there and as the standard of living in both Wales and Argentina improved the visits between the two countries increased, more and more choirs, organised tours as well as individuals visited Patagonia.

Then, in 1995, the British Government organised a marketing initiative to Buenos Aires and while he was there the Secretary of State for Welsh Affairs, Rod Richards, paid a visit to the Chubut Valley. He met representatives of the St David's Society in Trelew and visited Coleg Camwy in Gaiman. As a result, the Welsh Office arranged a three-year project – administered by the British Council – to encourage the teaching of Welsh in Chubut. Three young Welsh teachers were to spend a year gaining valuable experience teaching Welsh as a second language in the Valley while six young people from Chubut were to attend an Intensive Welsh Course in Lampeter University (a number of students from Patagonia had been following this course since 1993) and another six were to attend a Tutorial Course in Cardiff and at Trinity College, Carmarthen. The aim was to give official status to the teaching of Welsh in Patagonia while training the Argentineans to teach Welsh as a second language, enabling them eventually to be self-supporting.

The project was a success. By 1998 Welsh classes were held in Trelew, Gaiman and in the Andes. There was also great demand for classes beyond the Welsh Colony – in Sarmiento and Comodoro Rivadavia. Two schools in Gaiman were teaching Welsh as a subject for the first time for over a century – 28 pupils out of a class of 31 had chosen to study Welsh rather than French as a second language, and most of them had no Welsh connections. Nursery schools were established in Gaiman and Trelew and one was opened in Esquel. By today the local tutors (many of them working without payment and some of them not even from a Welsh background) have increased from six to eleven. Over a period of three years over 700 adults, young people and children will have attended Welsh classes and their teachers are delighted with their enthusiasm and the speed of their learning. At the end of 1999, the Welsh Assembly agreed to extend this project for a further three years.

A great deal of social activity was arranged to enable the learners to practice and to bridge the gap between the classroom and the community. In this way Welsh speakers and learners who are often scattered over a wide area, especially in a large town such as Trelew, are brought together. It also injects new life into an isolated community such as that in the Andes. Choirs come from all parts of Argentina to compete in the annual Eisteddfod

inTrelew; the tango takes its place quite naturally on the stage side by side with the Floral Dance. Smaller eisteddfodau and competitive meetings are also held in Trelew, Gaiman and Trevelin.

The Literary Circles which were established in Trelew and Gaiman in 1994 continue to flourish and they make an important contribution to the cultural life of the native Welsh- speaking community since these people were never given the opportunity to learn the Welsh language and literature at school.

Another bursary has resulted from the visit of the representatives of the Welsh Office, which enables someone from Patagonia to study science for a year in Britain. The Patagonian Centenary Fund also arranges annual bursaries in various fields of study.

It is a strange experience for the visitor to see Welsh names displayed on some of the shops and on the numerous Tea Houses in such a foreign looking town as Gaiman. The Welsh language has become trendy amongst the youngsters but to the majority it is a second language and most of them, as in the Bilingual Welsh Schools in Wales, do not have an opportunity to use it at home. They regard themselves as Argentineans, and they are passionately patriotic. But the wonder is that the sad prophecy made by R Bryn Williams in 1962 that 'the Welsh language as a means of communication will have ended within a quarter of a century' has not come true – thanks to the determination of the Patagonians themselves and the help and the support that has been extended to them from Wales.

Captions to the illustrations on pages 33-48

1. A sailing ship similar to the Mimosa
2. The first party to set sail for Patagonia
3. The memorial to the Indians in Porth Madryn
4. The beach where the first party landed and some of the caves
5. One of the waggons which trekked across the pampas from the Valley to the Andes
6. The printed money
7. The well-fed cattle of the Valley
8. A funeral outside Tabernacl chapel, Trelew
9. After the Eisteddfod, Trelew, at the start of the twentieth century
10. Captain Rogers' gravestone in Gaiman cemetery
11. Gaiman Museum
12. A Welsh chapel in Tir Halen
13. The pampas, between the Valley and Cwm Hyfryd
14. Crossing the pampas to the Andes
15. Sheltering under the waggon
16. Edmwnd Williams, Bod Iwan in 1964
17. Bod Iwan, a farm in the Valley, 1964
18. The memorial to el Malacara – the horse that saved John Evans' life
19. An Indian near Gaiman
20. An asado by Lake Futalaufqen in the Andes, 1964
21. A school in Gaiman
22. Cwm Hyfryd
23. The first house to be built in Gaiman
24. A farm in the foothills of the Andes
25. The Flower Dance in the Eisteddfod
26. A family reunion 1998
27. Two 'troubadours' from Wales on tour in Patagonia
28. The Tywi Inn, Gaiman
29. Welsh House, Gaiman
30. The Blue Tavern, Gaiman
31. The Bakery, Gaiman